앞 사진 | 경복궁 신무문의 단청
다섯 가지 색을 기본으로 사용하여 건축물에 여러 가지 무늬와 그림을 그리는 장식 미술
©문화재청 궁능유적본부 제공

세종
한국어

2A

문화체육관광부
국립국어원

발간사

최근 전 세계인이 접하는 한류 콘텐츠의 규모가 늘어나면서 한류 문화가 확산되고 있고, 그 결과로 한국어를 배우고자 하는 외국인 학습자의 기세가 매우 놀랍습니다. 세계 곳곳이 코로나19로 침체기를 겪던 2021년에도 한국어능력시험 응시자는 30만 명을 훌쩍 넘었으며, 문화체육관광부의 세종학당은 2007년 13곳에서 2022년에는 84개국 244개소로 증가하였습니다. 이러한 한류의 지속적인 확산을 뒷받침하기 위해서는 한국어교육의 탄탄한 지원이 필요합니다.

한류 콘텐츠와 함께 성장하는 한국어교육의 토대를 다지기 위해, 문화체육관광부와 국립국어원은 2011년 처음 발간된 《세종한국어》를 새로 다듬기로 하였습니다. 2019년부터 기초 연구를 시작한 교재 개정 작업은 3년의 시간을 들여, 2022년 드디어 새로운 《세종한국어》를 펴내게 되었고, 이를 세종학당재단과 함께 알리게 되었습니다.

새롭게 개정된 《세종한국어》는 첫째, 세종학당 곳곳에서 한국어를 배우고자 하는 열의로 가득 찬 외국인 학습자 중심의 교재를 지향하였습니다. 둘째, 현지 세종학당의 학습 환경에 따라 유연하게 활용할 수 있는 맞춤형 교재로 정비되었습니다. 셋째, 한류 콘텐츠에 대한 외국인들의 관심을 내용에 반영함으로써, 한국어 공부에 대한 학습자의 부담을 낮췄습니다. 마지막으로 세종학당을 대표하는 표준 교재로서 구심점 역할을 담당하고, 이후의 한국어 학습을 위한 연계성도 잘 갖추었습니다.

세종학당은 한국어와 한국 문화로 한국과 세계를 연결하는 대한민국 대표의 국외 한국어교육 기관입니다. 국립국어원과 문화체육관광부는 앞으로도 세종학당재단과 협력하여 전 세계에서 한국어를 사랑하는 이들이 꿈을 이룰 수 있도록 지속적인 노력과 지원을 아끼지 않겠습니다.

끝으로 교재 개발을 위해 최선의 노력을 기울여 주신 연구·집필진과 출판사 관계자분들께 진심으로 감사의 말씀을 드립니다. 《세종한국어》의 새로운 출발과 함께 문화체육관광부와 국립국어원, 세종학당재단이 세계로 더 나아갈 수 있도록 여러분의 따뜻한 관심 부탁드립니다.

2022년 8월
국립국어원장 장소원

머리말

세종학당은 한국과 전 세계를 연결하는 한국어·한국 문화 보급 기관입니다. 이번에 개발한 교재는 상호 문화주의에 기반하여 한국어 학습에 대한 학습자의 흥미를 증진함으로써 한국어 의사소통 능력을 향상시키는 것을 목표로 하였습니다. 이를 위해 최근 한국의 상황을 적극적으로 반영하였고 최신 교수법을 구현할 수 있는 새로운 구성과 디자인을 적용하였습니다. 이를 통해 국외 한국어교육의 방향성을 새롭게 제시하고자 하였습니다. 개정《세종한국어》의 구체적 특징은 다음과 같습니다.

첫째, 세종학당의 표준 교육과정인 가형, 나형, 다형 전 과정에 탄력적으로 활용할 수 있도록 '기본 교재'와 '더하기 활동 교재'로 구분하였습니다. '기본 교재'에는 해당 등급에 필요한 핵심적인 내용을 담았으며, '더하기 활동 교재'에는 심화·확장이 필요한 언어 지식과 의사소통 활동을 담았습니다. 이를 통해 다양한 학습자 특성에 맞게 교재를 선택하여 사용할 수 있도록 하였습니다.

둘째, 효과적 교수·학습을 위해 단계별로 단원 구성을 차별화하였으며 학습 내용 또한 언어 발달 단계에 맞는 교수 학습 내용과 절차를 적용하였습니다. 특히 다양한 삽화와 시각적 자료를 적극적으로 제시하여 한국어 학습의 흥미를 극대화할 수 있도록 노력하였습니다.

셋째, 교재 전반에 생생한 한국 문화 내용을 배치하여 학습자들이 상호 문화적 관점에서 한국 문화를 이해하고, 궁극적으로는 자국의 문화와 한국 문화에 대한 바른 태도를 형성할 수 있도록 하였습니다.

넷째, 교재와 함께 '익힘책', '교사용 지도서', '어휘·표현과 문법', 수업용 PPT와 같은 보조 자료들을 개발하여 교사·학습자의 요구에 맞게 교재를 활용할 수 있도록 하였습니다.

이 교재를 기획하고 개발하는 모든 과정에 함께해 주신 국립국어원과 현지 학당과의 협조와 지원을 아끼지 않으신 세종학당재단, 그리고 학습자들이 재미있게 한국어를 배울 수 있도록 멋지게 디자인해 주신 공앤박출판사에 감사의 마음을 전하고 싶습니다. 끝으로 3년이라는 긴 시간 동안 오로지 한국어교육에 대한 열정으로 좋은 교재를 만들어 내기 위해 애써 주신 모든 집필진께 말로는 다할 수 없는 깊은 감사의 마음을 전합니다.

2022년 8월
저자 대표 이정희

차례

교재의 구성

단원	주제	단원명	기능
1	새로운 만남	저는 프로그램 만드는 일을 해요	설명하기
2		등산을 하거나 운동 모임에 가요	소개하기
3	나의 일상	요즘 아침마다 회의가 있어요	제안하기
4		청바지에다가 티셔츠를 입으려고 해요	조언하기
5	나의 생활 공간	거실 창문이 커서 경치를 구경하기가 좋아요	소개하기
6		커피를 마시면서 음악을 들어요	소개하기
7	건강한 생활	스트레스를 받으면 가슴이 답답해요	설명하기
8		잠이 안 오면 가벼운 운동을 해 보세요	제안하기
9	내가 좋아하는 것	그럼 칼국수를 먹는 게 어때요?	주문하기
10		그럼 저 까만 구두는 어때요?	선호 표현하기, 물건 사기
11	즐거운 여행	한국을 여행한 적이 있어요?	조언 구하기
12		박물관에서 도장을 만들어 봤어요	서술하기

어휘와 표현	문법		발음	활동
직업	(이)라고 하다	-는 (동사 현재)	ㄴ 첨가	직업과 하는 일 말하기 세종학당 소개하는 글 쓰기
여가 활동	-거나, (이)나	-(으)ㄹ까요? (추측)		여가 활동 말하기 취미가 같은 친구 찾는 글 쓰기
하루 일과	마다	-(으)ㄹ 때	평음, 경음, 격음	약속 제안하기 약속을 정하는 문자 쓰기
옷차림	-기로 하다	에다가		입으려고 하는 옷차림 말하기 특별한 날에 입는 옷차림에 대한 글 쓰기
집	-기가 좋다	-지 않다, -지 못하다	겹받침 ㄼ	사는 곳 말하기 살고 있는 집 소개하는 글 쓰기
장소와 물건	-(으)면서 (동시)	-지요?		자주 가는 장소 말하기 좋아하는 장소 소개하는 글 쓰기
스트레스 증상	-(으)면	ㅅ 불규칙	이중모음 단순화	스트레스 증상 말하기 스트레스에 대한 글 쓰기
생활 습관	-는데/(으)ㄴ데	-아/어 보다 (시도)		건강한 생활 습관 제안하기 고치고 싶은 습관과 그 습관을 고칠 수 있는 방법 쓰기
음식과 주문	-는/(으)ㄴ/(으)ㄹ 것 같다	-는 게 어때요?	경음화	먹고 싶은 음식 말하기 매일 먹는 음식에 대한 글 쓰기
색과 모양	ㅎ 불규칙	-(으)면 좋겠다		사고 싶은 물건 말하기 자주 사는 물건에 대한 글 쓰기
여행 준비	-(으)ㄴ 적이 있다	동안	비음화	여행 계획 말하기 여행 계획 세우기
여행 경험	-아/어 보다 (경험)	-(으)ㄴ (동사 과거)		여행 경험 말하기 여행 경험 쓰기

단원의 구성

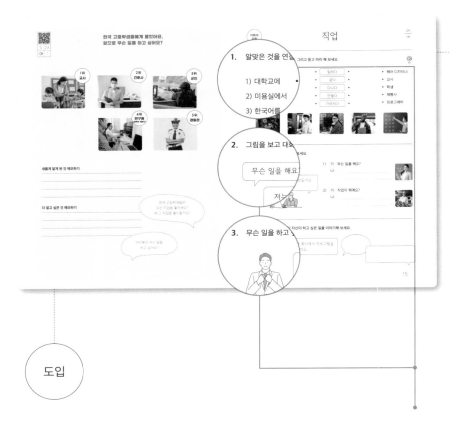

어휘와 표현

'어휘와 표현'은 해당 단원의 주제와
관련된 대표적인 어휘를 선정하되
덩어리 표현도 함께 제시하여
언어 사용에 초점을 두었습니다.
'어휘와 표현'은 제시, 기계적 연습,
유의적 연습 또는 간단한 활동으로
구성하여 지식의 습득에서 연습을
통한 내재화까지 가능하도록
구성하였습니다.

도입

'도입'은 해당 단원의 주제나 문화 지식과
관련이 있는 장면을 제시하여 해당 단원에서
배울 내용에 대한 배경지식을 활성화하고
주제에 친숙해지도록 구성하였습니다.

1번은 삽화나 단순한 활동을 통해 기본적인 의미를 익히도록 하였고
2번과 3번은 앞서 배운 어휘를 좀 더 연습하거나 자기 발화로
연습할 수 있도록 하였습니다.

문법
1 .... 문법
2

'문법 1, 2'는 해당 단원의 의사소통
기능을 수행하기 위해 꼭 알아야
하는 문법을 제시하였습니다.
필요도와 중요도를 고려하여 2개를
선정하였고 해당 문법의 핵심적
의미를 쪽 상단에 배치하였습니다.

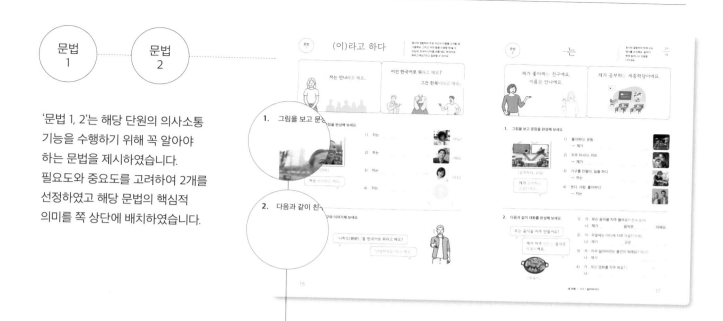

1번은 단순하고 유도된 활동을 통해 문법을 익히도록 하였습니다.

2번은 앞서 배운 문법을 심화하여 연습하도록 하였습니다. 학습자가
자신의 정보를 활용하여 짝 활동, 모둠 활동 등의 말하기 활동을 할 수 있게
구성하였습니다.

활동
1

'활동 1'은 대화문을 통한 듣기와
말하기 활동에 초점을 두었습니다.

2단계에서는 홀수 단원마다
목표 발음 항목과 실제 발음을
제시하여 한국어 발음의 원리를
이해하고 자연스러운 발음을
습득할 수 있도록 하였습니다.

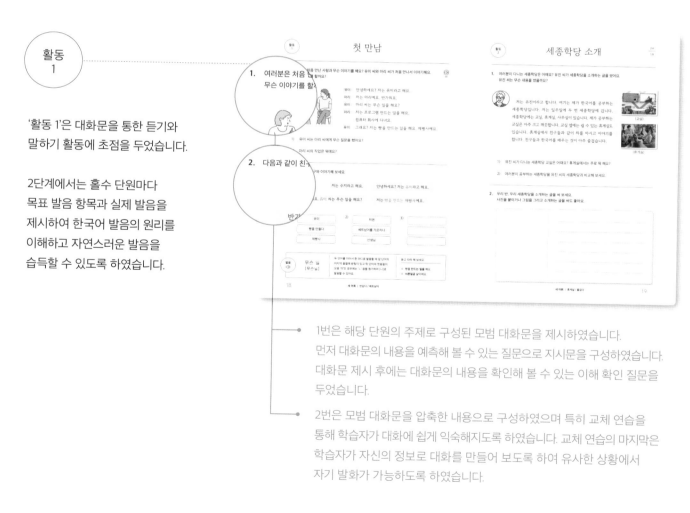

1번은 해당 단원의 주제로 구성된 모범 대화문을 제시하였습니다.
먼저 대화문의 내용을 예측해 볼 수 있는 질문으로 지시문을 구성하였습니다.
대화문 제시 후에는 대화문의 내용을 확인해 볼 수 있는 이해 확인 질문을
두었습니다.

2번은 모범 대화문을 압축한 내용으로 구성하였으며 특히 교체 연습을
통해 학습자가 대화에 쉽게 익숙해지도록 하였습니다. 교체 연습의 마지막은
학습자가 자신의 정보로 대화를 만들어 보도록 하여 유사한 상황에서
자기 발화가 가능하도록 하였습니다.

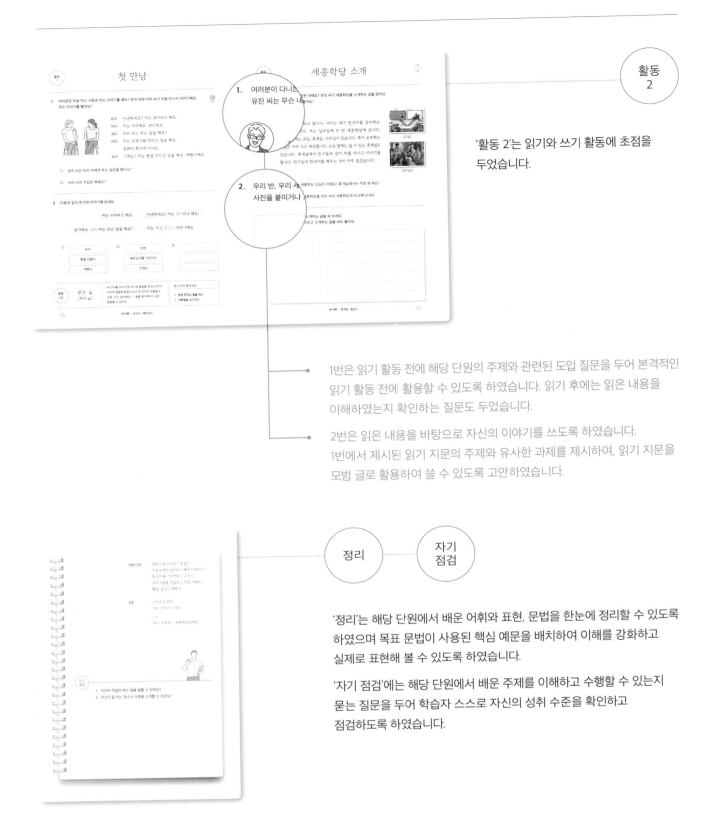

'활동 2'는 읽기와 쓰기 활동에 초점을
두었습니다.

1번은 읽기 활동 전에 해당 단원의 주제와 관련된 도입 질문을 두어 본격적인
읽기 활동 전에 활용할 수 있도록 하였습니다. 읽기 후에는 읽은 내용을
이해하였는지 확인하는 질문도 두었습니다.

2번은 읽은 내용을 바탕으로 자신의 이야기를 쓰도록 하였습니다.
1번에서 제시된 읽기 지문의 주제와 유사한 과제를 제시하여, 읽기 지문을
모범 글로 활용하여 쓸 수 있도록 고안하였습니다.

'정리'는 해당 단원에서 배운 어휘와 표현, 문법을 한눈에 정리할 수 있도록
하였으며 목표 문법이 사용된 핵심 예문을 배치하여 이해를 강화하고
실제로 표현해 볼 수 있도록 하였습니다.

'자기 점검'에는 해당 단원에서 배운 주제를 이해하고 수행할 수 있는지
묻는 질문을 두어 학습자 스스로 자신의 성취 수준을 확인하고
점검하도록 하였습니다.

등장인물 소개

마리

회사원.
재민의 회사 동료임.
등산과 케이팝을 좋아함.

수지

대학생.
외국에서 유학 중임.
취미는 사진 촬영임.

안나

대학생.
한국 드라마와 케이팝을
좋아함. 활발하고 적극적인
성격임.

주노

회사원.
한국에서 유학을 했음.
독서와 여행을 즐김.

유진

대학생.
영화 감상과 테니스 등
다양한 활동을 즐김.

재민

회사원.
주재원으로 국외 근무 중임.
산책과 캠핑을 즐김.

저는 프로그램 만드는 일을 해요

자신이 하는 일을 소개할 수 있어요.

한국 고등학생들에게 물었어요.
앞으로 무슨 일을 하고 싶어요?

1위 교사

2위 간호사

3위 군인

4위 연구원 (컴퓨터 개발자)

5위 경찰관

새롭게 알게 된 것 메모하기

더 알고 싶은 것 메모하기

> 한국 고등학생들은
> 무슨 직업을 좋아해요?
> 왜 그 직업을 좋아할까요?

> 여러분은 무슨 일을
> 하고 싶어요?

직업

1. 알맞은 것을 연결해 보세요. 그리고 듣고 따라 해 보세요.

01

1) 대학교에 •

2) 미용실에서 •

3) 한국어를 •

4) 프로그램을 •

5) 빵을 •

• 일하다 •

• 굽다 •

• 다니다 •

• 만들다 •

• 가르치다 •

• 헤어 디자이너

• 교사

• 학생

• 제빵사

• 프로그래머

---

2. 그림을 보고 대화를 완성해 보세요.

무슨 일을 해요?

저는 프로그램을 만들어요.
프로그래머예요.

1) 가: 무슨 일을 해요?

   나: _____

   _____ .

2) 가: 직업이 뭐예요?

   나: _____

   _____ .

---

3. 무슨 일을 하고 싶어요? 자신이 하고 싶은 일을 이야기해 보세요.

저는 한국 회사에서 프로그램을
만들고 싶어요.

(이)라고 하다

명사와 결합하여 주로 자신의 이름을 소개할 때
사용해요. 그리고 어떤 말을 인용할 때 쓸 수
있는데, 한국어 단어를 모를 때도 '한국어로
뭐라고 해요?'라고 질문할 수 있어요.

저는 안나라고 해요.

이건 한국어로 뭐라고 해요?

그건 한복이라고 해요.

1. 그림을 보고 문장을 완성해 보세요.

(마리)

저는 마리라고 해요.

1) 저는 ⋯⋯⋯⋯⋯⋯⋯⋯⋯⋯⋯⋯⋯⋯⋯⋯⋯⋯ . (주노)

2) 저는 ⋯⋯⋯⋯⋯⋯⋯⋯⋯⋯⋯⋯⋯⋯⋯⋯⋯⋯ . (재민)

3) 저는 ⋯⋯⋯⋯⋯⋯⋯⋯⋯⋯⋯⋯⋯⋯⋯⋯⋯⋯ . (수지)

4) 저는 ⋯⋯⋯⋯⋯⋯⋯⋯⋯⋯⋯⋯⋯⋯⋯⋯⋯⋯ .

( )

---

2. 다음과 같이 친구와 이야기해 보세요.

'니하오(你好).'를 한국어로 뭐라고 해요?

'안녕하세요.'라고 해요.

-는

제가 좋아하는 친구예요.
이름은 안나예요.

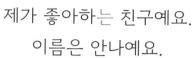

제가 공부하는 세종학당이에요.

---

1. 그림을 보고 문장을 완성해 보세요.

(공부하다, 교실)

제가 공부하는
교실이에요.

1) 좋아하다, 운동

→ 제가 _____ .

2) 자주 마시다, 커피

→ 제가 _____ .

3) 가구를 만들다, 일을 하다

→ 저는 _____ .

4) 웃다, 사람, 좋아하다

→ 저는 _____ .

---

2. 다음과 같이 대화를 완성해 보세요.

무슨 음식을 자주 만들어요?

제가 자주 만드는 음식은
떡볶이예요.

(떡볶이)

1) 가: 무슨 음악을 자주 들어요? (한국 음악)

나: 제가 _____ 음악은 _____ 이에요.

2) 가: 주말에는 어디에 자주 가요? (카페)

나: 제가 _____ 곳은 _____ .

3) 가: 자주 잃어버리는 물건이 뭐예요? (우산)

나: 제가 _____ .

4) 가: 무슨 영화를 자주 봐요? (_____)

나: _____ .

새 어휘 | 가구 / 잃어버리다

17

첫 만남

02

1. 여러분은 처음 만난 사람과 무슨 이야기를 해요? 유미 씨와 마리 씨가 처음 만나서 이야기해요.
무슨 이야기를 할까요?

유미 : 안녕하세요? 저는 유미라고 해요.

마리 : 저는 마리예요. 반가워요.

유미 : 마리 씨는 무슨 일을 해요?

마리 : 저는 프로그램 만드는 일을 해요.
컴퓨터 회사에 다녀요.

유미 : 그래요? 저는 빵을 만드는 일을 해요. 제빵사예요.

1) 유미 씨는 마리 씨에게 무슨 질문을 했어요?

2) 마리 씨의 직업은 뭐예요?

---

2. 다음과 같이 친구와 이야기해 보세요.

저는 수지라고 해요.

안녕하세요? 저는 유미라고 해요.

반가워요. 유미 씨는 무슨 일을 해요?

저는 빵을 만드는 제빵사예요.

1)
| 유미 |
| 빵을 만들다 |
| 제빵사 |

2)
| 히엔 |
| 베트남어를 가르치다 |
| 선생님 |

3)
| |
| |
| |

| 발음 🔊 | 무슨 일 [무슨닐] | 두 단어를 이어서 한 마디로 발음할 때 앞 단어의 마지막 음절에 받침이 있고 뒤 단어의 첫음절이 모음 '이'인 경우에는 'ㄴ' 음을 첨가하여 [니]로 발음할 수 있어요. | 듣고 따라 해 보세요.

○ 빵을 **만드는 일을** 해요.
○ **서른일곱** 살이에요. |

새 어휘 ┃ 반갑다 / 베트남어

세종학당 소개

1. 여러분이 다니는 세종학당은 어때요? 유진 씨가 세종학당을 소개하는 글을 썼어요.
유진 씨는 무슨 내용을 썼을까요?

　　저는 유진이라고 합니다. 여기는 제가 한국어를 공부하는 세종학당입니다. 저는 일주일에 두 번 세종학당에 갑니다. 세종학당에는 교실, 휴게실, 사무실이 있습니다. 제가 공부하는 교실은 아주 크고 깨끗합니다. 교실 옆에는 쉴 수 있는 휴게실도 있습니다. 휴게실에서 친구들과 같이 차를 마시고 이야기를 합니다. 친구들과 한국어를 배우는 것이 아주 즐겁습니다.

(교실)

(휴게실)

1) 유진 씨가 다니는 세종학당 교실은 어때요? 휴게실에서는 주로 뭐 해요?

2) 여러분이 공부하는 세종학당을 유진 씨의 세종학당과 비교해 보세요.

2. 우리 반, 우리 세종학당을 소개하는 글을 써 보세요.
사진을 붙이거나 그림을 그리고 소개하는 글을 써도 좋아요.

새 어휘 | 휴게실 / 즐겁다

19

어휘와 표현	대학교에 다니다 / 학생 /
	미용실에서 일하다 / 헤어 디자이너 /
	한국어를 가르치다 / 교사 /
	프로그램을 만들다 / 프로그래머 /
	빵을 굽다 / 제빵사

문법	(이)라고 하다
	저는 안나라고 해요.
	-는
	제가 공부하는 세종학당이에요.

자기
점검

1. 자신의 직업과 하는 일을 말할 수 있어요?
2. 자신이 잘 아는 장소나 사람을 소개할 수 있어요?

등산을 하거나
운동 모임에 가요

자주 하는 여가 활동을 소개할 수 있어요.

한국 사람들의 여가 시간

(시간)

5시간 40분

3시간 45분

평일　　　　　　　휴일　　　(2020년 기준)

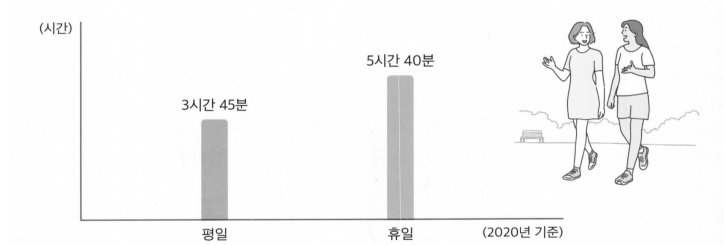

한국 사람들은 학교나 회사에
가는 날에 얼마나 쉬어요?
휴일에는 얼마나 쉬어요?

여러분은 보통
평일에 얼마나 쉬어요?
학교나 회사에 안 가는 날에는
얼마나 쉬어요?

여가 활동

1. 시간이 있으면 뭐 해요? 여러분이 하는 것에 모두 √ 표시를 해 보세요.

☐ 음식을 만들다

☐ 악기를 연주하다

☐ 소설을 읽다

☐ 만화를 그리다

☐ 배드민턴을 치다

☐ 풍경 사진을 찍다

☐ 운동 모임에 가다

☐ 스포츠 경기를 보다

☐ ....

---

2. 다음과 같이 친구와 이야기해 보세요.

> 주말에 뭐 해요?

> 음식을 만들어요. 화장실 청소도 해요.

(음식을 만들다)　(화장실 청소를 하다)

1) .... 씨는 주말에 뭐 해요?

2) ....

3) ....

---

3. 대화를 듣고 다음과 같이 써 보세요.

01

> 주말에 뭐 하는 것을 좋아해요?

> 배드민턴 치는 것하고 자전거 타는 것을 좋아해요.

가 : 주말에 뭐 하는 것을 좋아해요?

나 : .... 하고

.... 을 좋아해요.

-거나, (이)나

'-거나'는 동사와, '(이)나'는 명사와 결합하여, 앞에 오는 말과 뒤에 오는 말 중에서 하나를 선택할 수 있을 때 사용해요.

가: 휴일에 뭐 해요?
나: 음식을 만들거나 청소를 해요.
가: 보통 무슨 음식을 만들어요?
나: 삼계탕이나 불고기를 만들어요.

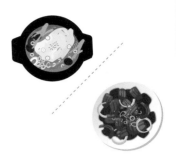

---

1. 다음과 같이 문장을 완성해 보세요.

텔레비전을 보거나
소설을 읽어요. (보다)

돈가스나 카레를
만들어요.

1) 소설을 _____ 악기를 연주해요. (읽다)

2) 배드민턴을 _____ 스포츠 경기를 봐요. (치다)

3) 우유 _____ 물을 마셔요.

4) 게임 _____ 운동을 해요.

---

2. 다음과 같이 대화를 완성해 보세요.

휴일에 뭐 해요?

드라마를 보거나 게임을 해요.

(보다)

1) 가: 주말에 뭐 해요?
   나: _____.

2) 가: 공원에서 뭐 해요?
   나: _____.

3) 가: 매일 아침에 뭐 먹어요?
   나: _____.

4) 가: 매일 몇 시쯤 자요?
   나: _____.

새 어휘 | 휴일 / 돈가스 / 카레

-(으)ㄹ까요?

동사나 형용사와 결합하여 아직 일어나지 않았거나 모르는 일에 대해서 추측하며 질문할 때 사용해요.

2A / 2과

내일 같이 등산 가요.

좋아요. 그런데 내일도 날씨가 맑을까요?

1. 다음과 같이 대화를 완성해 보세요.

주말에 같이 영화 봐요.

좋아요. 그런데 무슨 영화가 재미있을까요?

(재미있다)

1) 가: 우리 같이 태권도를 배워요.
   나: 좋아요. 그런데 _____ ? (안 어렵다)

2) 가: 주말에 같이 운동 모임에 가요.
   나: 좋아요. 무엇을 _____ ? (준비해야 되다)

3) 가: 주말에 같이 자전거 탈까요?
   나: 좋아요. 그런데 저도 _____ ? (잘 탈 수 있다)

2. 그림을 보고 대화를 완성해 보세요.

-10° 바람(북동풍) 1m/s

내일 날씨가 추울까요?
(춥다)

네. 내일 날씨가 추울 거예요. 일기 예보에서 봤어요.

1)
   가: 이 책이 _____ ? (재미있다)
   나: 네. _____ .

2)
   가: 마리 씨가 지금 전화를 _____ ? (받다)
   나: 아니요. _____ .

3)
   가: 미나 씨가 점심을 _____ ? (먹었다)
   나: 글쎄요. _____ .

휴일에 하는 일

---

1. 여러분은 휴일에 보통 뭐 해요? 재민 씨와 마리 씨가 휴일에 하는 일에 대해 이야기해요.
무슨 이야기를 할까요?

재민: 마리 씨는 휴일에 뭐 해요?

마리: 등산을 하거나 운동 모임에 가요.

재민: 아, 휴일에는 보통 운동을 해요?

마리: 네. 이번 주말에도 친구하고 등산을 할 거예요.

재민: 그래요? 이번 주말에는 비가 올 거예요.

마리: 정말요? 토요일에도 비가 올까요?

재민: 네. 오늘 일기 예보에서 들었어요.

1) 마리 씨는 보통 휴일에 뭐 해요?　　2) 마리 씨는 이번 주말에 등산을 갈 수 있을까요?

---

2. 다음과 같이 친구와 이야기해 보세요.

유진 씨, 휴일에 뭐 해요?　　　집에서 드라마를 보거나 만화를 그려요.

아, 휴일에는 보통 집에 있어요?　　　네. 이번 주말에도 집에서 한국 드라마를 볼 거예요.

1)
| 집에서 드라마를 보다, 만화를 그리다 |
| 집에 있다 |
| 집에서 한국 드라마를 보다 |

2)
| 카페에서 책을 읽다, 친구를 만나다 |
| 카페에 가다 |
| 카페에 가서 책을 읽다 |

3)
| |
| |
| |

---

3. 여러분은 이번 주말에 뭐 할 거예요? 친구와 이야기해 보세요.

친구 찾기

1. 여러분의 학교 에스엔에스(SNS)에는 어떤 글이 있어요?
   안나 씨가 학교 에스엔에스(SNS)에 글을 썼어요. 어떤 글을 썼을까요?

 **ANNA0810**

♥ ◯ ◁   ▢

좋아요 45개

ANNA0810 #세종학당 #친구 #취미

친구를 찾아요!
안녕하세요. 저는 안나라고 해요.
세종학당에서 한국어를 공부하고 있어요.
저는 휴일에 보통 한국 드라마를 보거나 한국 음악을 들어요.
그런데 혼자 취미 생활을 하는 것이 좀 심심해요.
저하고 취미가 같은 친구가 있을까요?
같이 드라마나 영화 이야기를 하고 싶어요.
연락 주세요.
annaanna@sjmail.com

1) 안나 씨의 취미가 뭐예요?
   안나 씨는 어떤 친구를
   찾고 있어요?

2) 여러분의 취미는 뭐예요?
   언제 그 일을 해요?
   이야기해 보세요.

2. 취미가 같은 친구를 찾는 글을 학교 에스엔에스(SNS)에 써 보세요.

안녕하세요. 저는
_____
_____
_____
_____
_____

새 어휘 | 에스엔에스(SNS) / 심심하다 / 같다

| 어휘와 표현 | 음식을 만들다 / 악기를 연주하다 / 소설을 읽다 / 만화를 그리다 / 배드민턴을 치다 / 풍경 사진을 찍다 / 운동 모임에 가다 / 스포츠 경기를 보다 |

어휘와 표현

음식을 만들다 / 악기를 연주하다 /
소설을 읽다 / 만화를 그리다 /
배드민턴을 치다 / 풍경 사진을 찍다 /
운동 모임에 가다 / 스포츠 경기를 보다

문법

-거나, (이)나
음식을 만들거나 청소를 해요.

-(으)ㄹ까요?
내일도 날씨가 맑을까요?

**자기
점검**

1. 자주 하는 여가 활동을 소개할 수 있어요?
2. 휴일에 하는 일을 말할 수 있어요?

요즘 아침마다 회의가 있어요

일상적인 약속을 할 수 있어요.

하루 일과

1. 오늘 뭐 했어요? √ 표시를 해 보세요.

☐ 출근하다　　☐ 회의를 준비하다　　☐ 이메일을 읽다　　☐ 퇴근하다　　☐ 수업을 듣다

☐ 시험공부를 하다　　☐ 동아리 활동을 하다　　☐ 아르바이트를 하다　　☐ ....

---

2. 민호 씨는 매일 어떤 일을 해요? 잘 듣고 일을 하는 순서대로 번호를 써 보세요.

01

1)　　　　2)　　　　3)　　　　4)　　　　5)

학교에 가요.　　일어나요.　　수업을 들어요.　　아르바이트를 해요.　　집에 가요.
(　)　　　(　)　　　(　)　　　　(　)　　　　(　)

---

3. 여러분은 매일 무엇을 해요? 여러분의 일과를 써 보세요.
그리고 다음과 같이 친구와 이야기해 보세요.

수지 씨는 아침에 일어나서 뭐 해요?

저는 샤워를 하고 아침을 먹어요.

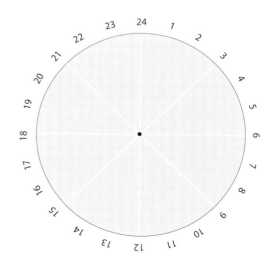

문법 1

마다

가: 수요일에 뭐 해요?

나: 저는 수요일마다 세종학당에 가요.

일	월	화	수	목	금	토
	1	2	3	4	5	6
	수업		수업			등산
데이트		영화	세종학당	운동		
7	8	9	10	11	12	13
청소	수업		수업	운동		등산
데이트			세종학당	영화		
14	15	16	17	18	19	20
	수업		수업			
데이트		영화	세종학당	운동		등산
21	22	23	24	25	26	27
청소	수업		수업			
데이트			세종학당	운동	영화	등산

1. 위의 달력을 보고 문장을 완성해 보세요.

저는 목요일마다 운동을 해요.

1) 토요일 _____ 등산을 해요.

2) 일요일 _____ 를 해요.

3) 월요일하고 수요일 _____ .

4) 수요일 오후 _____ .

2. 다음과 같이 친구와 이야기해 보세요.

아침마다 무엇을 해요?

커피를 마셔요.

시간

아침, 점심, 저녁,
월요일, 화요일, 수요일…

하는 일

커피를 마시다, 과제를 하다,
아르바이트를 하다, 친구와 이야기하다,
지하철을 타다, 책을 읽다…

새 어휘 | 데이트

–(으)ㄹ 때

동사나 형용사와 결합하여 어떤 행위나 상황이 발생한 시간상의 순간이나 지속되는 동안을 이야기할 때 사용해요.

2A / 3과

가: 언제 음악을 들어요?
나: 저는 보통 출퇴근할 때 음악을 들어요.

1. 다음과 같이 대화를 완성해 보세요.

언제 정장을 입어요?

저는 보통 회사에 갈 때 정장을 입어요.

(회사에 가다)

1) 가: 언제 운동을 해요?
   나: _____ 마다 운동을 해요. (시간이 있다)

2) 가: 언제 택시를 타요?
   나: 학교에 _____ 택시를 타요. (늦었다)

3) 가: 언제 노래방에 가요?
   나: 친구와 _____ 노래방에 가요.
   (노래를 하고 싶다)

4) 가: 언제 행복해요?
   나: 맛있는 음식을 _____ 제일 행복해요. (먹다)

2. 언제 여기에 가요? 다음과 같이 친구와 이야기해 보세요.

언제 백화점에 가요?

옷을 사고 싶을 때 백화점에 가요.

1) 가: 언제 카페에 가요?
   나: _____.

2) 가: 언제 도서관에 가요?
   나: _____.

3) 가: 언제 공원에 가요?
   나: _____.

새 어휘 ǀ 출퇴근하다 / 행복하다

저녁 약속

1. 여러분은 친구와 전화로 무슨 이야기를 해요?
재민 씨와 주노 씨가 전화로 저녁 약속을 해요. 무슨 이야기를 할까요?

재민: 주노 씨, 오늘 같이 저녁 먹어요.

주노: 좋아요. 그런데 저 오늘 일찍 퇴근 못 할 거예요.

재민: 그래요? 언제 퇴근할 수 있어요?

주노: 7시 반쯤요. 요즘 아침마다 회의가 있어요.

　　　그래서 퇴근하기 전에 회의 준비를 끝내야 해요.

재민: 저는 괜찮아요. 퇴근할 때 전화 주세요.

주노: 네. 재민 씨.

1) 주노 씨는 요즘 아침마다 뭐 해요?

2) 주노 씨와 재민 씨는 언제 만날 거예요?

---

2. 다음과 같이 친구와 이야기해 보세요.

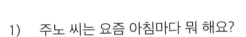

안나 씨, 오늘 같이 저녁 먹어요.

좋아요. 몇 시쯤에 어디에서 만날까요?

6시 반쯤에 회사 앞에서 만나요.

네. 그럼 퇴근할 때 전화 주세요.

1)
| 저녁 먹다 |
| 몇 시쯤에 어디에서 |
| 6시 반쯤에 회사 앞에서 |
| 퇴근하다 |

2)
| 학교에 가다 |
| 언제 어디에서 |
| 아침 7시쯤에 집 앞에서 |
| 출발하다 |

3)
| |
| |
| |
| |

발음 🔊

'ㅈ, ㅉ, ㅊ'의 발음에 주의하세요. 'ㅈ'은 부드럽게 발음해요.
'ㅉ'은 목에 힘이 가장 많이 들어가요. 'ㅊ'은 입에서 바람이
가장 많이 나와요.

듣고 따라 해 보세요.

o 같이 **저녁** 먹어요.
o **아침 7시쯤에** 일어나요.

새 어휘 | 끝내다 / 출발하다

1. 유진 씨는 다음 주에 발표를 해야 돼요. 그래서 문자로 모임 약속을 해요. 어떤 이야기를 할까요?

1) 누가 누구에게 먼저 문자를 보냈어요?
왜 문자를 보냈어요?

2) 여러분은 보통 누구에게 문자를 보내요?
왜 문자를 보내요?

2. 여러분은 다음 주에 발표를 해야 돼요. 그 사람과 약속을 정하고 싶어서 문자를 써요.
어떻게 써야 해요? 문자로 이야기해 보세요.

새 어휘 ㅣ 평일 / 문자 / 발표 / 직접

어휘와 표현	출근하다 / 회의를 준비하다 / 이메일을 읽다 / 퇴근하다 / 수업을 듣다 / 시험공부를 하다 / 동아리 활동을 하다 / 아르바이트를 하다
문법	마다 저는 수요일마다 세종학당에 가요. -(으)ㄹ 때 저는 보통 출퇴근할 때 음악을 들어요.

자기
점검

1. 하루 일과를 말할 수 있어요?
2. 다른 사람과 약속을 정할 수 있어요?

청바지에다가 티셔츠를 입으려고 해요

상황에 맞는 옷차림에 대해 조언할 수 있어요.

사람들은 계절마다
어떤 옷을 입을까요?

여러분은 어떤 옷을
좋아해요?

옷차림

1. 아는 것에 √ 표시를 해 보세요. 그리고 듣고 따라 해 보세요.

01

□ 모자

□ 장갑   □ 넥타이   □ 목도리   □ 스카프

□ 블라우스   □ 와이셔츠   □ 스웨터   □ 티셔츠

□ 양말   □ 구두   □ 운동화

□ 치마   □ 청바지   □ 정장 바지   □ 반바지   □ 원피스

2. 어떤 동사와 같이 말할 수 있어요? 위의 그림을 보고 친구와 이야기해 보세요.

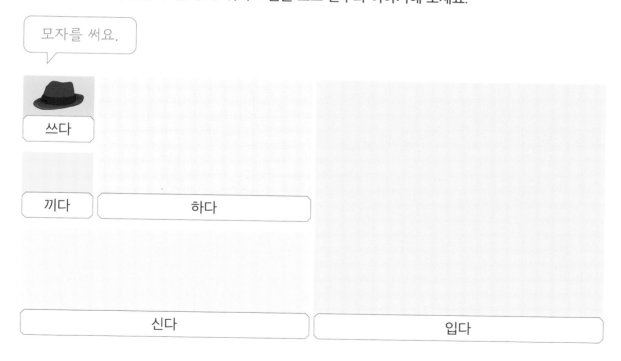

모자를 써요.

쓰다

끼다   하다

신다   입다

3. 여러분은 지금 어떤 옷차림을 하고 있어요? 다음과 같이 이야기해 보세요.

저는 지금 티셔츠하고 청바지를 입고 운동화를 신었어요.

–기로 하다

동사와 결합하여 앞의 말이
나타내는 행동을 결심하거나
약속했다고 이야기할 때 사용해요.

오늘 저녁에 만날까요?

네. 좋아요.

와, 옷이 멋있어요.

고마워요. 오늘 저녁에
여자 친구를 만나기로
했어요.

1. 다음과 같이 문장을 완성해 보세요.

데이트를 하기로 했어요.

(하다)

1) 5시에 회사 앞에서 .... 했어요. (만나다)

2) 친구하고 같이 밥을 .... 했어요. (먹다)

3) 주말에 시내에서 .... 했어요. (놀다)

4) 친구하고 차를 마시고 영화를 .... 했어요. (보다)

2. 뭐 할 거예요? 다음과 같이 친구와 이야기해 보세요.

오늘 오후에 뭐 해요?

친구하고 쇼핑하기로 했어요.

1) 내일 뭐 해요?

2) 이번 주말에 뭐 해요?

3) 다음 주에 뭐 해요?

4) 방학에 뭐 해요?

새 어휘 | 여자 친구 / 시내

에다가

명사와 결합하여 어떤 것에
다른 것이 더해진다고
이야기할 때 사용해요.

2A

4과

가: 내일 회의가 있어요. 뭘 입을까요?

나: 정장에다가 구두를 신으세요.

---

1. 다음과 같이 문장을 완성해 보세요.

원피스에다가 스카프를 하세요.

1) 바지 .... (블라우스)

2) 날씨가 추우니까 코트 .... (목도리)

3) 도서관에 갈 때는 티셔츠하고 청바지 .... (운동화)

---

2. 그림을 보고 대화를 완성해 보세요.

추울 때 뭘 입어요?

스웨터에다가 장갑을
끼고 목도리를 해요.

(스웨터, 장갑, 목도리)

1) 가: 운동을 할 때 뭘 입어요?

나 : ....

.... (티셔츠, 반바지, 운동화)

2)  가: 회사에 갈 때 뭘 입어요?

나 : ....

.... (정장, 넥타이, 구두)

3) 가: 산에 갈 때 뭘 입어요?

나 : ....

.... (운동복, 등산화, 모자)

4) 가: .... ?

나 : ....

....

인터넷 쇼핑

1. 여러분은 인터넷으로 옷을 사요? 안나 씨와 마리 씨가 인터넷으로 옷을 구경하면서
이야기하고 있어요. 무슨 이야기를 할까요?

안나: 마리 씨, 지금 쇼핑해요?

마리: 네. 옷을 좀 사려고요.

　　　다음 주말에 친구들하고 바다에 놀러 가기로 했어요.

안나: 정말 좋겠어요. 어떤 옷을 살 거예요?

마리: 티셔츠요. 청바지에다가 티셔츠를 입으려고 해요.

안나: 그럼 이 티셔츠는 어떨까요?

마리: 와, 정말 예뻐요!

1) 마리 씨는 왜 옷을 사요?　　　2) 마리 씨는 다음 주말에 어떤 옷을 입을 거예요?

---

2. 다음과 같이 친구와 이야기해 보세요.

안나 씨, 지금 뭐 해요?　　　옷을 고르고 있어요.

어디 가요?　　　네. 친구 결혼식에 가기로 했어요.

어떤 옷을 입을 거예요?　　　정장 바지에다가 블라우스를 입고 구두를 신으려고 해요.

1)
| 친구 결혼식에 가다 |
| 정장 바지, 블라우스, 입다 |
| 구두, 신다 |

2)
| 친구하고 제주도에 가다 |
| 청바지, 운동화, 신다 |
| 야구 모자, 쓰다 |

3)
| |
| |
| |

---

3. 여러분은 어떤 옷을 사고 싶어요? 왜 그 옷을 사고 싶어요? 친구와 이야기해 보세요.

새 어휘 | 고르다

소개팅

1. 여러분은 소개팅을 해 봤어요? 아래 글은 소개팅 기사예요.
소개팅을 할 때는 뭐가 중요할까요?

소개팅에서 중요한 것은?

남자와 여자 300명에게 물었습니다.

Q1. 소개팅을 할 때 뭐가 가장 중요합니까?

여러 가지 대답이 있었습니다. 제일 중요한 것은 '옷'이었습니다(36%).
다음으로 중요한 것은 '재미있게 이야기하는 것'이었습니다(26%).
그리고 '같이 가는 장소'도 중요했습니다(21%).

Q2. 요즘에는 소개팅을 할 때 보통 어떤 옷을 입습니까?

전에는 정장을 입는 사람이 많았지만
요즘에는 편한 옷을 입는 사람이 많습니다.

예쁘지만
편한 옷
31%

정장
29%

1) 소개팅을 할 때는 무엇이 중요해요?

2) 요즘에는 소개팅을 할 때 어떤 옷을 입어요?

2. 여러분은 데이트나 소개팅을 할 때 어떤 옷을 입어요?
그리고 어떤 옷을 입은 여자나 남자를 좋아해요? 글을 쓰고 친구와 이야기해 보세요.

어휘와 표현	모자 / 장갑 / 넥타이 / 목도리 / 스카프 /
	블라우스 / 와이셔츠 / 스웨터 / 티셔츠 /
	양말 / 구두 / 운동화 / 치마 / 청바지 /
	정장 바지 / 반바지 / 원피스 /
	(옷을) 입다 / (넥타이를) 하다 /
	(운동화를) 신다 / (장갑을) 끼다 /
	(모자를) 쓰다

문법	-기로 하다
	오늘 저녁에 여자 친구를 만나기로 했어요.
	에다가
	정장에다가 구두를 신으세요.

자기
점검

1. 지금 자신의 옷차림을 말할 수 있어요?
2. 상황에 맞는 옷차림에 대해 조언할 수 있어요?

거실 창문이 커서
경치를 구경하기가 좋아요

자신이 사는 집을 소개할 수 있어요.

여러분은 아파트에서 살고 싶어요?
주택에서 살고 싶어요?

한국 사람의 50%는
아파트에서 살고
30%는 주택에서 살아요.

50%
아파트

30%
주택

아파트에서 살 때는 무엇이
좋을까요? 그리고 주택에서
살 때는 무엇이 좋을까요?

아파트	주택

집

1. 여러분의 집은 어때요? √ 표시를 해 보세요.

☐ 깨끗하다   ☐ 지저분하다

☐ 넓다   ☐ 좁다

☐ 밝다   ☐ 어둡다

☐ 짐이 적다   ☐ 짐이 많다

2. 어떤 집을 이야기해요? 잘 듣고 알맞은 그림의 번호를 쓰세요.

01

1) ①   2) ☐   3) ☐   4) ☐

①    ②    ③ 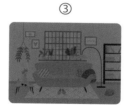   ④

3. 어떤 집이 좋아요? 다음과 같이 친구와 이야기해 보세요.

안나 씨는 어떤 집이 좋아요?

저는 학교하고 가까운 집이 좋아요.
그리고 넓고 밝은 집이 좋아요.

-기가 좋다

동사와 결합하여 앞의 말이
나타내는 행위를 하기 쉬움을
표현할 때 사용하는데
'-기 좋다'로도 많이 써요.

가: 와, 창문이 정말 커요.

나: 네. 그래서 경치를 구경하기가 좋아요.

1. 다음과 같이 문장을 완성해 보세요.

> 봄에는 날씨가 따뜻해서
> 산책하기가 좋아요.
>
> (산책하다)

1) 부엌이 넓어서 .... 좋아요. (요리하다)

2) 이 책은 쉽고 재미있어서 아이들에게 ....
좋아요. (선물하다)

3) 도서관이 조용해서 책을 .... 좋았어요. (읽다)

4) 이 바지는 시원해서 여름에 .... 좋을 거예요. (입다)

2. 다음과 같이 친구와 이야기해 보세요.

> 마리 씨 집이 어때요?

> 근처에 공원이 없어서 운동하기 안 좋아요.

1)	마리 씨 집	근처에 공원이 없다	운동하다	☹
2)	안나 씨 집	짐이 많다	청소하다	☹
3)	재민 씨 집	회사하고 가깝다	출퇴근하다	☺
4)	어제 날씨			☹ / ☺
5)				☹ / ☺

새 어휘 ┃ 경치 / 부엌 / 조용하다

문법 2

–지 않다, –지 못하다

'–지 않다'는 동사나 형용사와 결합하여 앞의 말이 나타내는 행위를 하지 않거나 상태가 나타나지 않음을 표현할 때 사용해요. '–지 못하다' 는 동사와 결합하여 앞의 말이 나타내는 행동을 할 능력이 없거나 행동하는 사람의 뜻대로 되지 않음을 표현할 때 사용해요.

2A

5과

저는 청소하는 것을 싫어해요.
그래서 청소를 하지 않아요.

일이 많아서 시간이 없어요.
그래서 청소를 하지 못해요.

1. '–지 않다'나 '–지 못하다' 중 하나를 골라 다음과 같이 문장을 완성해 보세요.

방이 좁아서 친구를 많이 초대하지 못해요.

(초대하다)

1) 냉장고를 버리고 싶어요.
그런데 너무 무거워서 혼자 .... (버리다)

2) 안나 씨는 매일 청소를 해요.
그래서 방이 별로 .... (지저분하다)

3) 제 방에는 큰 창문이 있어요.
그래서 방이 .... (어둡다)

2. 친구가 먹지 않는 것과 먹지 못하는 것은 뭐예요? 그 이유가 뭐예요? 다음과 같이 친구와 이야기해 보세요.

미나 씨는 뭘 안 먹어요?　저는 고기를 싫어해서 전혀 먹지 않아요.

미나 씨는 뭘 못 먹어요?　저는 계란을 먹을 때마다 배가 아파요. 그래서 계란을 전혀 먹지 못해요.

	친구 이름	먹지 않아요.	먹지 못해요.
1)	미나	고기	계란
2)			
3)			
4)			

새 어휘 ┃ 냉장고 / 버리다 / 별로 / 전혀

새집 이야기

1. 주노 씨가 이사를 했어요. 재민 씨와 주노 씨가 주노 씨의 새집 이야기를 해요. 무슨 이야기를 할까요?

재민: 주노 씨, 어제 이사 잘 했어요?

주노: 네. 짐이 많아서 좀 힘들었지만 잘 끝냈어요.

재민: 평일이라 도와주지 못해서 미안했어요. 새집은 어때요? 넓어요?

주노: 아니요. 그렇지만 거실 창문이 커서 경치를 구경하기가 좋아요.

재민: 와, 저도 그런 집으로 이사 가고 싶어요.

주노: 하하하. 그렇게 좋은 집은 아니에요.
　　　재민 씨 집에서 멀지 않으니까 다음에 한번 놀러 오세요.

1) 주노 씨는 어제 뭐 했어요? 어땠어요?　　2) 주노 씨 새집은 어때요?

---

2. 다음과 같이 친구와 이야기해 보세요.

새집이 어때요?　　근처에 공원이 있어서 운동하기 좋아요.

회사에서 가까워요?　　아니요. 가깝지 않아요.

1)
| 새집 |
| 근처에 공원이 있다 |
| 운동하다 |
| 회사에서 가깝다 |

2)
| 오늘 날씨 |
| 맑고 시원하다 |
| 산책하다 |
| 산책을 자주 하다 |

3)
| |
| |
| |
| |

발음 🔊

밝다[박따]
밝고[발꼬]
밝아요[발가요]

용언의 겹받침 'ㄺ'은 음절의 끝이나 'ㄱ' 외의 자음 앞에서 [ㄱ]으로 발음하고, 뒤에 'ㄱ'이 오면 [ㄹ]로 발음해요. 그리고 모음이 오면 두 자음을 다 발음해요.

듣고 따라 해 보세요.

○ 날씨가 **맑다**.
○ 책을 **읽고** 싶어요.
○ **밝은** 집이 좋아요.

새 어휘 | 이사 / 도와주다 / 새집 / 거실 / 그렇게

활동 2

집 소개

1. 여러분은 블로그에 글을 써요? 미나 씨가 블로그에 집을 소개하는 글을 썼어요. 어떤 내용이 있을까요?

우리 집을 소개해요.

미나의 블로그

저는 어제 아파트로 이사를 했어요. 우리 집은 10층에 있어요. 그래서 경치를 구경하기 좋아요.

새집은 아주 넓어요. 방이 세 개고 화장실이 두 개 있어요.

이사 전에는 언니하고 같은 방에서 잤어요. 하지만 새집에는 제 방이 있어요. 방이 크지는 않지만 저는 제 방이 있어서 정말 좋아요.

1) 미나 씨 가족의 새집은 어때요?

2) 여러분은 어떤 집에서 살고 싶어요?

2. 블로그에 우리 집을 소개하는 글을 써 보세요. 그림도 그려 보세요.

우리 집을 소개해요.

저는 _____ 에 살아요.

우리 집은 _____ 에 있어요.

_____

_____

_____

_____

_____ 기 좋아요.

| 어휘와 표현 | 깨끗하다 / 지저분하다 / 넓다 / 좁다 / 밝다 / 어둡다 / 짐이 적다 / 짐이 많다 |

| 문법 | −기가 좋다
경치를 구경하기가 좋아요.

−지 않다, −지 못하다
청소를 하지 않아요.
청소를 하지 못해요. |

자기
점검

1. 집의 좋은 점과 안 좋은 점을 말할 수 있어요?
2. 자신이 사는 집을 소개할 수 있어요?

커피를 마시면서 음악을 들어요

자주 가는 장소를 소개할 수 있어요.

한국 사람들은 시간이 있을 때
카페에 자주 가요. 카페에 가서
무엇을 할까요?

여러분도 카페에 자주 가요?
가서 무엇을 해요?

장소와 물건

1. 카페에 무엇이 있어요? 아는 것에 √ 표시를 해 보세요. 그리고 듣고 따라 해 보세요.

01

2. 카페에 무엇이 있어요? 위의 그림을 보고 친구와 이야기해 보세요.

☐ 놓여 있다

☐ 걸려 있다

> 테이블 위에 꽃병이 놓여 있어요.

> 벽에 달력이 걸려 있어요.

3. 아래 사진의 장소는 어떤 모습이에요? 다음과 같이 이야기해 보세요.

> 방에 소파가 놓여 있어요. 그리고 벽에 액자가 걸려 있어요.

새 어휘 ┃ 놓여 있다 / 걸려 있다 / 소파

문법 1

-(으)면서

동사와 결합해서 두 가지 행동이 함께 일어나고 있음을 나타낼 때 사용해요.

가: 민호 씨, 지금 뭐 하고 있어요?

나: 저는 지금 커피를 마시면서 책을 읽고 있어요.

1. 그림을 보고 문장을 완성해 보세요.

친구가 기타를 치면서 노래해요.

(치다)

1) 친구하고 _____ 산책해요. (이야기하다)

2) 저는 밥을 _____ 텔레비전을 봐요. (먹다)

3) 음악을 _____ 공부해요. (듣다)

4) 친구들과 _____ 놀고 있어요. (게임을 하다)

2. 어떤 행동을 자주 같이 해요? 다음과 같이 친구와 이야기해 보세요.

텔레비전을 보면서 밥을 먹어요.

기타를 치다	외국어를 공부하다	인터넷을 보다
노래를 하다	텔레비전을 보다	요리를 배우다
샤워하다	사진을 찍다	여행을 다니다
밥을 먹다	회사에 다니다	한국어를 공부하다
…		

새 어휘 | 외국어

-지요?

동사나 형용사, 조사 '이다'와 결합해서
이미 알고 있는 것을 다시 확인할 때 사용해요.
줄여서 '-죠'라고 말할 수 있어요.

2A
6과

주노 씨는 한국 드라마를 좋아해요.

주노

주노 씨는 한국 드라마를 좋아하지요?

K-drama

1. 다음과 같이 대화를 완성해 보세요.

오늘 비가 정말 많이 오지요?

(오다)

네. 정말 많이 와요.

1) 가 : 미나 씨, 이번 주말에 한국어 시험을 _____? (보다)

    나 : 네. 그래서 열심히 공부하고 있어요.

2) 가 : 저 사람 너무 _____? (멋있다)

    나 : 글쎄요. 저는 잘 모르겠어요.

3) 가 : 우리 토요일에 만나기로 _____? (했다)

    나 : 네. 맞아요. 2시에 만나기로 했어요.

4) 가 : 안나 씨는 _____? (회사원이다)

    나 : 아니요. 학생이에요.

2. 여러분은 한국에 대해 무엇을 알고 있어요? 그것이 정말이에요? 선생님께 질문해서 확인해 보세요.

내가 아는 것 : 한국 사람들은 모두 매운 음식을 잘 먹어요.

질문 : 선생님, 한국 사람들은 모두 매운 음식을 잘 먹지요?   ☐ 맞아요. ☑ 아니에요.

아니요. 제 한국 친구는 매운 음식을 잘 못 먹어요.

1) 내가 아는 것:

  질문: ☐ 맞아요. ☐ 아니에요.

2) 내가 아는 것:

  질문: ☐ 맞아요. ☐ 아니에요.

3) 내가 아는 것:

  질문: ☐ 맞아요. ☐ 아니에요.

자주 가는 장소

02

1. 재민 씨와 주노 씨가 카페에서 만났어요. 두 사람이 카페에 대해 이야기해요.
무슨 이야기를 할까요?

재민: 와, 이 카페 분위기가 정말 좋아요.

주노: 그렇죠? 사람이 많지 않아서 오래 있기도 좋아요.

재민: 주노 씨, 여기 자주 와요?

주노: 네. 쉬고 싶을 때마다 혼자 여기 와요.

재민: 혼자 와서 보통 뭐 해요?

주노: 그냥 커피를 마시면서 음악을 들어요.

가끔 심심할 때는 여기저기 놓여 있는 잡지도 읽고요.

1) 주노 씨는 언제 카페에 가요?　　　　2) 주노 씨는 카페에서 뭐 해요?

---

2. 다음과 같이 친구와 이야기해 보세요.

재민 씨는 어디에 자주 가요?　　　　저는 시간이 있을 때마다 공원에 가요.

공원에서 뭐 해요?　　　　산책하면서 경치를 구경해요.

1)
| 시간이 있을 때 |
| 공원 |
| 산책하다, 경치를 구경하다 |

2)
| 심심할 때 |
| 미술관 |
| 좋아하는 음악을 듣다, 그림을 보다 |

3)
| |
| |
| |

---

3. 여러분이 자주 가는 장소는 어디예요? 왜 그곳에 자주 가요? 친구와 이야기해 보세요.

　　　　새 어휘 | 분위기 / 오래 / 여기저기

좋아하는 장소

1. 여러분은 어떤 장소를 좋아해요? 소피 씨가 블로그에 한강공원을 소개했어요. 어떤 내용이 있을까요?

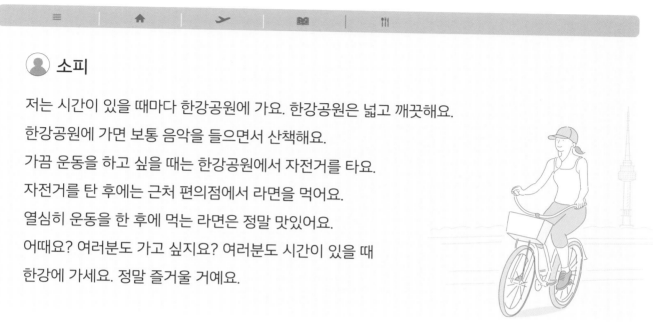

👤 **소피**

저는 시간이 있을 때마다 한강공원에 가요. 한강공원은 넓고 깨끗해요.

한강공원에 가면 보통 음악을 들으면서 산책해요.

가끔 운동을 하고 싶을 때는 한강공원에서 자전거를 타요.

자전거를 탄 후에는 근처 편의점에서 라면을 먹어요.

열심히 운동을 한 후에 먹는 라면은 정말 맛있어요.

어때요? 여러분도 가고 싶지요? 여러분도 시간이 있을 때

한강에 가세요. 정말 즐거울 거예요.

1) 소피 씨는 언제 한강공원에 가요? 한강공원에서 뭐 해요?

2) 여러분은 어떤 장소를 좋아해요? 거기에서 뭐 해요?

2. 여러분이 좋아하는 장소를 소개하는 글을 써 보세요. 사진이나 그림도 같이 넣어 보세요.
그리고 그 장소를 친구들에게 소개해 보세요.

어휘와 표현	메뉴 / 벽 / 달력 / 포스터 / 화분 / 테이블 / 꽃병 / 인형 / 쿠션

문법

–(으)면서
저는 지금 커피를 마시면서 책을 읽고 있어요.

–지요?
주노 씨는 한국 드라마를 좋아하지요?

자기
점검

1. 좋아하는 장소의 모습을 설명할 수 있어요?
2. 자주 가는 장소를 소개할 수 있어요?

스트레스를 받으면 가슴이 답답해요

스트레스를 받을 때 나타나는 증상을 설명할 수 있어요.

한국 사람들은 어디에서
스트레스를 많이 받을까요?

여러분은 생활하면서
스트레스를 많이 받아요?
어디에서 스트레스를 많이 받아요?

한국 사람들이 스트레스를 받는 곳

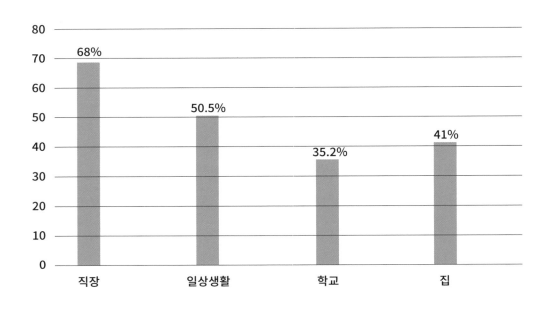

스트레스 증상

1. 스트레스를 많이 받을 때 몸이 어때요? √ 표시를 해 보세요. 그리고 듣고 따라 해 보세요.

01

1)

□ 가슴이 답답하다

스트레스를 받다

2)

□ 머리가 복잡하다

3)

□ 속이 안 좋다

4)

□ 얼굴이 붓다/눈이 붓다

5)

□ 잠이 안 오다

6)

□ 얼굴에 뭐가 나다

---

2. 그림을 보고 대화를 완성해 보세요.

어디 안 좋아요?

네. 머리가 복잡해요.

1)

가 : 많이 피곤해요?

나 : 네. 어제 .... 못 잤어요.

2)

가 : 무슨 일 있어요?

나 : 요즘 스트레스를 많이 받아서 ....

....

---

3. 여러분은 언제 스트레스를 받아요? 스트레스를 받을 때 몸이 어때요?
다음과 같이 이야기해 보세요.

저는 일이 많을 때 스트레스를 받아요.
그럼 속이 안 좋아요.

새 어휘 | 피곤하다

63

–(으)면

동사나 형용사와 결합하여 뒤에 나오는 내용의 근거나 상황에 대한 조건을 이야기할 때 사용해요. 또 확실하지 않거나 아직 이루어지지 않은 사실을 가정해서 이야기할 때도 사용할 수 있어요.

주말에 보통 뭐 해요?

날씨가 좋으면 산에 가요.

(날씨가 좋다 → 산에 가다)

날씨가 안 좋으면 집에서 쉬어요.

(날씨가 안 좋다 → 집에서 쉬다)

1. 다음과 같이 문장을 완성해 보세요.

저는 비가 오면 집에서 커피를 마시면서 영화를 봐요.

(비가 오다)

1) 단 음식을 _____ 기분이 좋아요. (먹다)

2) 저는 머리가 _____ 자요. (아프다)

3) _____ 옷을 많이 입으세요. (춥다)

4) 시간이 _____ 여행 가고 싶어요. (있다)

2. 다음과 같이 친구와 이야기해 보세요.

수업이 끝나면 뭐 할 거예요?

수업이 끝나면 친구하고 밥을 먹을 거예요.

(수업이 끝나다)

1) 가: _____?
    나: _____.

(한국에 가다)

2)
    가: _____?
    나: _____.

(좋아하는 배우나 가수를 만나다)

3)
    가: _____?
    나: _____.

(돈이 많다)

4) ?
    가: _____?
    나: _____.

새 어휘 | 달다 / 배우

문법
2

ㅅ 불규칙

'붓다', '낫다' 등 'ㅅ' 받침으로 끝나는
몇 개의 동사와 형용사가 모음으로
시작하는 어미와 만날 때 '부어요',
'나아요'와 같이 'ㅅ'이 없어져요.

2A

7과

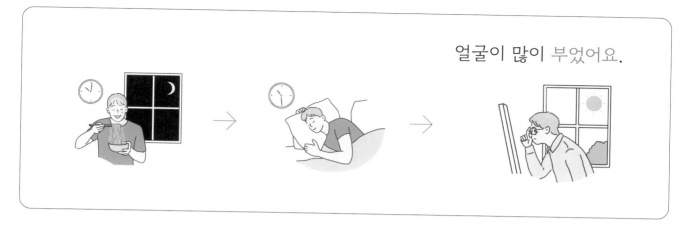

얼굴이 많이 부었어요.

1. 다음과 같이 문장을 완성해 보세요.

어제 잠을 못 자서
얼굴이 부었어요.

(붓다)

1) 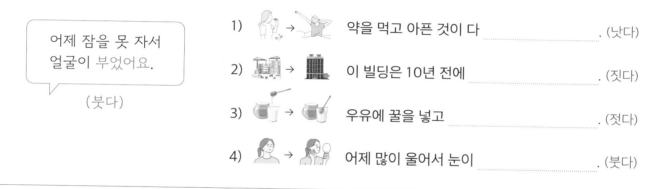 약을 먹고 아픈 것이 다 _____ . (낫다)

2) 이 빌딩은 10년 전에 _____ . (짓다)

3) 우유에 꿀을 넣고 _____ . (젓다)

4) 어제 많이 울어서 눈이 _____ . (붓다)

2. 다음과 같이 친구와 이야기해 보세요.

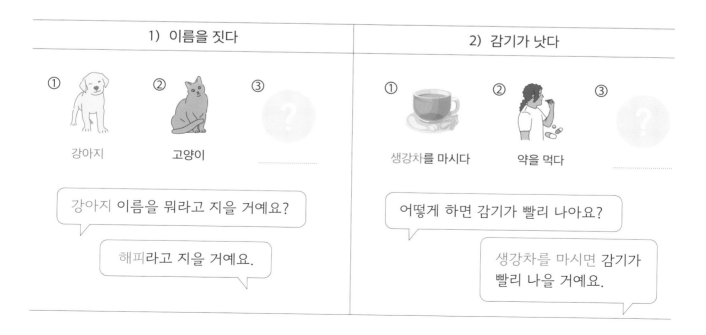

1) 이름을 짓다	2) 감기가 낫다
① 강아지 ② 고양이 ③	① 생강차를 마시다 ② 약을 먹다 ③

강아지 이름을 뭐라고 지을 거예요?

해피라고 지을 거예요.

어떻게 하면 감기가 빨리 나아요?

생강차를 마시면 감기가
빨리 나을 거예요.

새 어휘 | 낫다 / 짓다 / 젓다 / 울다 / 강아지 / 생강차

바쁜 생활과 스트레스

1. 여러분은 스트레스를 받으면 몸이 어때요? 안나 씨와 유진 씨가 오랜만에 만나서
스트레스 이야기를 해요. 무슨 이야기를 할까요?

안나: 유진 씨, 오랜만이에요. 요즘 많이 바쁘죠?

유진: 네. 어제도 저녁을 못 먹어서 밤에 라면을 먹었어요.
지금 제 얼굴 많이 부었죠?

안나: 아니요. 괜찮아요. 바빠서 스트레스를 많이 받지요?
저도 요즘 스트레스 받아서 잠이 안 와요.

유진: 네. 저는 스트레스를 받으면 가슴이 답답해요. 그리고 자꾸 매운 음식이 먹고 싶어요.

안나: 어, 저도요. 그럼 우리 오늘 맵고 맛있는 음식 먹으러 가요!

1) 유진 씨는 왜 어젯밤에 라면을 먹었어요?   2) 유진 씨는 스트레스를 받으면 어때요?

---

2. 다음과 같이 친구와 이야기해 보세요.

요즘 일이 많아서 너무 힘들어요.

일이 많으면 스트레스를 많이 받지요?

네. 스트레스 받아서 머리가 복잡해요.
마리 씨는 이럴 때 어떻게 해요?

저는 머리가 복잡하면 공원에서 산책해요.

1)
| 일이 많다 |
| 머리가 복잡하다 |
| 공원에서 산책하다 |

2)
| 과제가 많다 |
| 속이 안 좋다 |
| 약을 먹고 쉬다 |

3)
| |
| |
| |

| 발음 🔊 | 바쁘죠
[바쁘조] | 모음 'ㅛ'가 자음 'ㅈ, ㅉ, ㅊ'과 만나면 [ㅗ]로 발음해요. | 듣고 따라 해 보세요.

○ 얼굴 많이 **부었죠?**
○ 스트레스가 **많죠?** |

새 어휘 | 오랜만 / 이야기 / 자꾸 / 어젯밤

스트레스 이야기

1. 여러분은 언제 스트레스를 받아요? 안나 씨가 스트레스에 대해 글을 썼어요.
안나 씨는 왜 스트레스를 받을까요? 그럴 때 어떻게 할까요?

여러분은 언제 스트레스를 많이 받습니까? 저는 다음 주에 중요한
시험이 있어서 요즘 스트레스를 많이 받습니다. 한국어를 배우는 것은
재미있지만 시험은 어려워서 힘들 때가 있습니다. 저는 시험이 있으면
항상 스트레스를 받습니다. 스트레스를 받으면 머리가 아프고 속이
안 좋습니다. 그럴 때는 약을 먹고 자면 좀 괜찮습니다. 여러분은
스트레스를 받으면 몸이 어떻습니까? 그리고 그럴 때는 어떻게 합니까?

1) 안나 씨는 왜 요즘 스트레스를 받아요?

2) 여러분은 언제 스트레스를 받아요? 그때 뭘 하면 괜찮아요? 이야기해 보세요.

2. 앞에서 이야기한 내용으로 스트레스에 대한 글을 써 보세요. 그리고 발표해 보세요.

| 어휘와 표현 | 스트레스를 받다 / 가슴이 답답하다 / 머리가 복잡하다 / 속이 안 좋다 / 얼굴이 붓다 / 눈이 붓다 / 잠이 안 오다 / 얼굴에 뭐가 나다 |

문법

−(으)면
날씨가 좋으면 산에 가요.

ㅅ 불규칙
라면을 먹고 자서 얼굴이 부었어요.

자기
점검

1. 언제 스트레스를 받는지 말할 수 있어요?
2. 스트레스를 받을 때 나타나는 증상을 설명할 수 있어요?

잠이 안 오면
가벼운 운동을 해 보세요

건강한 생활 습관을 제안할 수 있어요.

의사가 이야기하는 몸에
좋은 습관이에요. 여러분에게는
어떤 습관이 있어요?
친구와 이야기해 보세요.

여러분이 알고 있는
건강에 좋은 습관이 있어요?

새롭게 알게 된 것 메모하기

더 알고 싶은 것 메모하기

어휘와
표현

생활 습관

1. 여러분은 어떻게 생활하고 있어요? √ 표시를 해 보세요.

☐ 잘 웃다

☐ 일찍 자고
일찍 일어나다

☐ 음식을 골고루
먹다

☐ 가벼운
운동을 하다

☐ 손을 잘 씻다

☐ 짜증을 잘 내다

☐ 늦게 자고
늦게 일어나다

☐ 좋아하는
음식만 먹다

☐ 야식을 먹다

☐ 컴퓨터를
오래 하다

2. 잘 듣고 알맞은 그림을 연결해 보세요.

01

1) •   2) •   3) •   4) •

3. 여러분은 어떤 습관을 갖고 싶어요? 다음과 같이 이야기해 보세요.

저는 매일 운동하고 싶어요.

-는데 / (으)ㄴ데

'-는데'는 동사와 '-(으)ㄴ데'는 형용사와 결합하여 뒤에 말하려고 하는 내용의 배경이나 상황을 제시할 때 사용해요. 또 뒤에 관련이 있는 질문이나 제안을 할 수도 있어요.

머리가 좀 아픈데 혹시 약이 있어요?

1. 다음과 같이 문장을 완성해 보세요.

요즘 한국어를 공부하는데 아주 재미있어요.
(공부하다)

1) 비가 _____ 택시를 탈까요? (오다)

2) 요즘 한국어 책을 _____ 조금 어려워요. (읽다)

3) _____ 영화 볼까요? (심심하다)

4) 날씨가 _____ 산에 갈까요? (좋다)

2. 다음과 같이 문장을 완성해 보세요.

(밥을 먹고 있다 / 전화가 왔다)

밥을 먹고 있는데 전화가 왔어요.

1)   _____.

(공부를 하다 / 친구가 왔다)

2)   _____.

(요즘 요리를 배우고 있다 / 재미있다)

3)   _____.

(어제 영화를 봤다 / 영화가 무서웠다)

4)   _____.

새 어휘 | 혹시

–아 / 어 보다

동사와 결합하여 다른 사람이 아직 경험하지 않은 일을 권유할 때 사용해요. 조언할 때도 사용할 수 있어요.

2A
8과

비빔밥이 맛있는 식당 알아요?

하나식당 비빔밥이 맛있는데 한번 가 보세요.

1. 다음과 같이 문장을 완성해 보세요.

이 책이 정말 재미있는데 한번 읽어 보세요.

(읽다)

1) 가슴이 답답하면 산책을 ＿＿＿＿＿＿＿. (하다)

2) 이 옷이 멋있는데 한번 ＿＿＿＿＿＿＿. (입다)

3) 이 노래 아주 좋은데 한번 ＿＿＿＿＿＿＿. (듣다)

4) 저 모자가 예쁜데 한번 ＿＿＿＿＿＿＿. (쓰다)

2. 친구에게 추천하고 싶은 것이 있어요? 다음과 같이 이야기해 보세요.

불고기가 맛있는데 한번 먹어 보세요.

		무엇을 추천하고 싶어요?	왜 추천하고 싶어요?
1)	음식	불고기	맛있어요
2)	책		
3)	식당		
4)	음악		
5)			

새 어휘 | 추천하다

생활 습관

1. 여러분은 밤에 잠이 잘 와요? 잠이 안 오면 어떻게 하는 것이 좋을까요?
재민 씨와 마리 씨가 생활 습관을 이야기해요. 무슨 이야기를 할까요?

재민: 마리 씨, 이거 제가 집에서 가져왔어요. 마셔 보세요. 한국 커피예요.

마리: 와, 안 그래도 피곤해서 커피를 마시고 싶었는데 고마워요.

재민: 왜요? 어제 잠을 잘 못 잤어요?

마리: 네. 푹 자고 싶은데 잠이 안 와요. 뭐 좋은 방법 없을까요?

재민: 음. 잠이 안 오면 낮에 가벼운 운동을 해 보세요.

마리: 그럴까요? 고마워요.

1) 마리 씨는 왜 피곤해요?

2) 재민 씨는 어떤 방법을 추천했어요?

2. 다음과 같이 친구와 이야기해 보세요.

> 안나 씨, 저 요즘 운동을 하는데 뭘 더 하면 건강에 좋을까요?

> 음. 음식을 골고루 먹어 보세요. 그리고 컴퓨터를 오래 하지 않는 게 좋아요.

> 좋은 방법인데 매일 그렇게 할 수 있을까요?

> 쉽지 않을 거예요. 하지만 이렇게 하면 건강하게 살 수 있을 거예요.

1)

운동을 하다
음식을 골고루 먹다
컴퓨터를 오래 하다

2)

일찍 자고 일찍 일어나다
가벼운 운동을 하다
야식을 먹다

3)

요가를 하다
채소를 많이 먹다
좋아하는 음식만 먹다

4)

새 어휘 | 가져오다 / 안 그래도 / 방법 / 낮 / 건강하다

고치고 싶은 습관

1. 여러분은 고치고 싶은 습관이 있어요? 유진 씨가 고치고 싶은 습관을 썼어요. 무슨 내용일까요?

A 안녕하세요? 저는 고치고 싶은 습관이 있습니다. 저는 게임을 좋아해서 늦게까지 컴퓨터로 게임을 합니다. 그래서 늦게 자고 늦게 일어납니다. 늦게 자서 피곤하고 가끔 지각도 합니다. 늦게 자는 습관을 고치고 싶은데 어떻게 하면 될까요?

 Re 안녕하세요? 습관을 고치는 것이 어렵지요? 늦게 자는 습관을 고치고 싶으면 먼저 밤에 게임을 하지 않는 것이 좋습니다. 게임을 하고 싶으면 시간을 정해서 해 보세요. 그리고 낮에 몸을 많이 움직여 보세요. 산책도 좋고 가벼운 운동도 좋습니다. 그럼 일찍 잘 수 있을 거예요.

1) 유진 씨가 고치고 싶은 습관은 뭐예요? 왜 그 습관을 고치고 싶어요?

2) 여러분은 어떤 습관을 고치고 싶어요? 이야기해 보세요.

---

2. 여러분이 고치고 싶은 습관을 하나 써 보세요. 그다음에 친구들에게 습관을 고칠 수 있는 방법을 물어보고 써 보세요. 그리고 가장 좋은 방법을 한 가지 골라 보세요.

• 고치고 싶은 습관:

• 어떻게 하면 고칠 수 있어요?

　1) _____

　2) _____

　3) _____

새 어휘 | 고치다 / 지각 / 움직이다

어휘와 표현 　잘 웃다 / 일찍 자고 일찍 일어나다 /
음식을 골고루 먹다 /
가벼운 운동을 하다 / 손을 잘 씻다 /
짜증을 잘 내다 /
늦게 자고 늦게 일어나다 /
좋아하는 음식만 먹다 / 야식을 먹다 /
컴퓨터를 오래 하다

문법　　 －는데 / (으)ㄴ데
머리가 좀 아픈데 혹시 약이 있어요?

－아 / 어 보다
하나식당 비빔밥이 맛있는데 한번 가 보세요.

자기
점검

1. 자신의 생활 습관을 말할 수 있어요?
2. 건강한 생활 습관을 제안할 수 있어요?

그럼 칼국수를
먹는 게 어때요?

먹고 싶은 음식을 주문할 수 있어요.

한국 사람들은 어디에서
뭘 자주 먹어요?

요리를 하고 싶지 않거나 할 수 없을 때, 한국 사람들은 어떻게 식사할까요?

① 식당에 가서 먹어요.　　　② 전화나 인터넷으로 주문해요.　　　③ 식당에서 사서 집에 와서 먹어요.

1위 한식	1위 치킨	1위 패스트푸드
57.7%	**42.3%**	**25.3%**
2위 패스트푸드	2위 중식	2위 한식
7.5%	**26.8%**	**16.0%**
3위 회사나 학교 식당의 메뉴	3위 패스트푸드	3위 치킨
6.7%	**13.2%**	**14.2%**

여러분은 보통 어디에서
밥을 먹어요? 거기에서
뭘 자주 먹어요?

음식과 주문

1. 아는 것에 모두 √ 표시를 해 보세요.

국, 찌개, 탕				
	☐ 떡국	☐ 미역국	☐ 순두부찌개	☐ 갈비탕

면, 국수				
	☐ 짬뽕	☐ 짜장면	☐ 칼국수	☐ 스파게티

2. 식당에 가서 뭐 해요? 잘 듣고 맞는 것을 찾아 번호를 써 보세요.
01

1) ①   2) ☐   3) ☐   4) ☐   5) ☐

①   ②   ③   ④   ⑤

3. 여러분이 먹고 싶은 음식은 뭐예요? 다음과 같이 주문해 보세요.

주문하시겠어요?

네. 짜장면 하나 주세요.

새 어휘 | 계산하다 / 현금

79

문법 1 ─는/(으)ㄴ/(으)ㄹ 것 같다

동사나 형용사와 결합하여 정확히 알 수 없는 사실에 대해서 알고 있는 것을 바탕으로 추측하여 이야기할 때 사용해요.

이 케이크를 살까요?

네. 마리 씨가 좋아할 것 같아요.

(마리)

---

1. 다음과 같이 대화를 완성해 보세요.

어떤 영화를 볼까요?

우리 이 영화를 봐요. 재미있을 것 같아요.

서부마을

(재미있다)

1)
가 : 이 가방 예쁘죠?
나 : 네. 그런데 좀 _____. (비싸다)

2)
가 : 재민 씨는 언제 와요? 한번 전화해 보세요.
나 : 전화했는데 안 받아요. 오늘도 _____. (늦다)

3)
가 : 내일도 더울까요?
나 : 요즘 계속 더웠으니까 내일도 _____. (덥다)

4)
가 : 이 단어가 어떤 의미예요?
나 : 저도 잘 몰라요. 안나 씨에게 물어보세요.
안나 씨는 _____. (알다)

---

2. 다음 그림을 보고 어떻게 말할 수 있어요? 알맞은 말을 찾아서 번호를 써 보세요.

1)  (   ) 2)  (   ) 3)  (   )

① 비가 오는 것 같아요.   ② 비가 온 것 같아요.   ③ 비가 올 것 같아요.

---

3. 어떨 것 같아요? 그림을 보고 친구와 이야기해 보세요.

이 김치가 어떨까요?   좀 매울 것 같아요.

 김치   불고기   냉면   삼계탕

 한국어   책   차   영화

새 어휘 | 의미 / 모르다 / 물어보다

-는 게 어때요?

오늘 너무 피곤해서 요리를 하고 싶지 않아요.

그럼 식당에서 저녁을 먹는 게 어때요?

---

1. 그림을 보고 문장을 완성해 보세요.

인터넷으로 피자를
주문하는 게 어때요?

(주문하다)

1) 빵과 우유를 _____ ? (먹다)

2) 식당에 전화해서 먹고 싶은 음식을

_____ ? (시키다)

3) 어제 파티를 해서 집에 음식이 많아요.
우리 집에 _____ ? (가다)

---

2. 이런 문제가 있을 때는 어떻게 하는 것이 좋을까요? 다음과 같이 친구와 이야기해 보세요.

오늘 일을 너무 많이 했어요.

그럼 좀 쉬는 게 어때요?

	문제	방법
1)	오늘 일을 너무 많이 했다	좀 쉬다
2)	음식이 너무 짜다	
3)	한국어가 어렵다	
4)		

새 어휘 | 시키다 / 짜다

81

음식 주문

02

1. 여러분은 친구와 어디에서 밥을 먹어요? 재민 씨와 마리 씨가 한국 식당에서 음식을 주문해요. 두 사람은 뭘 먹을까요?

재민: 뭐 주문할 거예요? 정했어요?

마리: 아직요. 재민 씨는 뭐 시킬 거예요?

재민: 저는 김치찌개를 시키려고 해요. 마리 씨는요?

마리: 음. 저는 안 매운 음식을 먹고 싶어요.
맵지 않고 맛있는 음식이 있을까요?

재민: 그럼 칼국수를 먹는 게 어때요? 칼국수는 별로 맵지 않을 거예요.

마리: 좋아요. 여기요! 김치찌개하고 칼국수 주세요.

1) 재민 씨는 뭘 먹을 거예요?

2) 마리 씨는 왜 칼국수를 먹으려고 해요?

---

2. 다음과 같이 친구와 이야기해 보세요.

뭐 주문할 거예요? 정했어요?

네. 저는 짜장면으로 정했어요. 민호 씨는요?

저도 짜장면이 맛있을 것 같아요.

그럼 민호 씨도 짜장면을 먹는 게 어때요? 여기 짜장면이 아주 맛있어요.

1)
| 짜장면 |
| 맛있다 |
| 먹다 |

2)
| 스파게티 |
| 괜찮다 |
| 주문하다 |

3)
| |
| |
| |

발음 🔊 칼국수 [칼국쑤]

받침소리 [ㄱ], [ㄷ], [ㅂ] 뒤에 'ㅅ, ㅈ'이 오면 [ㅆ], [ㅉ]으로 발음해요.

듣고 따라 해 보세요.

○ 저는 **칼국수를** 좋아해요.
○ 짜장면은 **맵지** 않아요.

주말 식사 약속

1. 여러분은 주로 어디에서 밥을 먹어요? 이 사람은 이번 주말에 무엇을 할까요?

저는 요즘 회사 일이 바빠서 직접 요리를 하지 않고 식당에서 사 먹습니다. 집에서 밥을 먹을 때는 식당에서 사 오거나 배달을 시켜서 먹습니다. 그런데 이번 주말에는 세종학당 친구들과 같이 우리 집에서 한국 음식을 만들어서 먹기로 했습니다. 유진 씨가 좋아하는 된장찌개도 끓이고 안나 씨가 좋아하는 떡볶이도 만들 겁니다. 친구들과 같이 요리를 하면 아주 재미있을 것 같습니다.

1) 이 사람은 왜 식당에서 밥을 사 먹어요?

2) 이 사람은 이번 주말에 누구와 무슨 음식을 먹기로 했어요?

---

2. 여러분은 어떤 음식을 자주 먹어요? 그림을 그리고 글로 써 보세요.

새 어휘 ┃ 배달 / 끓이다

어휘와 표현	떡국 / 미역국 / 순두부찌개 / 갈비탕 / 짬뽕 / 짜장면 / 칼국수 / 스파게티 / 메뉴를 보다 / 카드로 계산하다 / 현금으로 계산하다 / 메뉴를 정하다 / 음식을 주문하다
문법	–는/(으)ㄴ/(으)ㄹ 것 같다 마리 씨가 좋아 할 것 같아요. –는 게 어때요? 그럼 식당에서 저녁을 먹는 게 어때요?

자기
점검

1. 한국 음식의 종류를 말할 수 있어요?
2. 먹고 싶은 음식을 주문할 수 있어요?

그럼 저 까만 구두는 어때요?

사고 싶은 물건에 대해 이야기할 수 있어요.

1. 빨간색을 좋아해요.	☐	모든 일을 열심히 하는 사람이에요.
2. 파란색을 좋아해요.	☐	재미있는 것을 잘 만드는 사람이에요.
3. 노란색을 좋아해요.	☐	맞는 말만 하는 사람이에요.
4. 주황색을 좋아해요.	☐	친구가 많은 사람이에요.
5. 초록색을 좋아해요.	☐	사랑을 많이 받는 사람이에요.
6. 하얀색을 좋아해요.	☐	머리가 아주 좋은 사람이에요.
7. 까만색을 좋아해요.	☐	옷을 잘 입고 멋있는 사람이에요.

색과 모양

1. 아는 것에 √ 표시를 해 보세요.

☐ 하얗다　　☐ 까맣다　　☐ 파랗다　　☐ 빨갛다　　☐ 노랗다

2. 아는 것에 √ 표시를 해 보세요. 그리고 듣고 따라 해 보세요.

01

☐ 크기

☐ 크다　　☐ 작다

☐ 디자인

☐ 단순하다　　☐ 복잡하다

☐ 가격

☐ 비싸다　　☐ 싸다

☐ 적당하다

3. 여러분은 지금 어떤 물건을 가지고 있어요? 그 물건은 어때요? 다음과 같이 친구와 이야기해 보세요.

이 가방은 크기가 적당하고
디자인이 단순해요.

가방　　핸드폰　　책　　필통

지갑　　…

이 ＿＿＿＿＿＿ 은/는 ＿＿＿＿＿＿＿＿＿＿.

그리고 ＿＿＿＿＿＿＿＿＿＿＿＿＿.

ㅎ 불규칙

'하얗다, 까맣다, 파랗다, 빨갛다, 노랗다, 어떻다, 그렇다' 등 받침이 'ㅎ'인 형용사 어간에 모음으로 시작하는 어미가 결합하면 'ㅎ'이 없어져요.

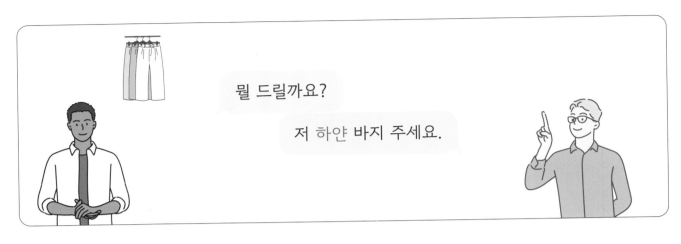

뭘 드릴까요?

저 하얀 바지 주세요.

1. 다음과 같이 문장을 완성해 보세요.

저 노란 우산 주세요.

(노랗다)

1) 저는 제 ＿＿＿＿＿＿ 머리가 좋아요. (까맣다)

2) 저 ＿＿＿＿＿＿ 장미 주세요. (빨갛다)

3) ＿＿＿＿＿＿ 바다를 보고 싶어요. (파랗다)

---

2. 교실에 있는 빨갛고 파랗고 노랗고 까맣고 하얀 물건을 찾아보세요.
그리고 다음과 같이 친구와 이야기해 보세요.

	색	무엇
1)	빨간색	안나 씨 가방
2)	파란색	
3)	노란색	
4)	까만색	
5)	하얀색	

안나 씨 가방이 빨간색이에요.

안나 씨 가방이 빨개요.

새 어휘 | 장미

–(으)면 좋겠다

형용사나 동사와 결합하여
바라거나 희망하는 것을
이야기할 때 사용해요.

2A
10과

가: 이 옷은 어때요?
나: 작을 것 같아요.
　　사이즈가 좀 더 크면 좋겠어요.

---

1. 그림을 보고 문장을 완성해 보세요.

(너무 클 것 같아요.)

사이즈가 좀 더
작으면 좋겠어요.

1) (너무 비싼 것
　　같아요.)
가격이 좀 더ㅤㅤㅤㅤㅤㅤㅤㅤㅤㅤ
ㅤㅤㅤㅤㅤㅤㅤㅤㅤㅤㅤㅤㅤㅤㅤㅤㅤㅤ.

2) (너무 짧은 것
　　같아요.)
길이가 더ㅤㅤㅤㅤㅤㅤㅤㅤㅤㅤㅤ
ㅤㅤㅤㅤㅤㅤㅤㅤㅤㅤㅤㅤㅤㅤㅤㅤㅤㅤ.

3) (디자인이 너무
　　복잡한 것 같아요.)
디자인이 더ㅤㅤㅤㅤㅤㅤㅤㅤㅤㅤ
ㅤㅤㅤㅤㅤㅤㅤㅤㅤㅤㅤㅤㅤㅤㅤㅤㅤㅤ.

---

2. 다음과 같이 대화를 완성해 보세요.

배가 많이 고파요?

네. 빨리 점심을
먹으면 좋겠어요.

(먹다)

1) 가: 집에서 학교까지 두 시간 걸려요?
　　나: 네. 학교에서 좀 더ㅤㅤㅤㅤㅤㅤㅤㅤ. (가깝다)

2) 가: 많이 더워요? 에어컨을 켤까요?
　　나: 아니요. 창문을 좀ㅤㅤㅤㅤㅤㅤㅤㅤ. (열다)

3) 가: 텔레비전을 볼까요?
　　나: 아니요. 음악을 좀ㅤㅤㅤㅤㅤㅤㅤㅤ. (듣다)

4) 가: 지금ㅤㅤㅤㅤㅤㅤㅤㅤㅤㅤㅤㅤ고 싶어요?
　　나: (네 / 아니요).ㅤㅤㅤㅤㅤㅤㅤㅤㅤㅤ.

새 어휘 | 길이 / 에어컨 / 켜다 / 열다

좋아하는 신발

02

1. 여러분은 학교나 회사에 갈 때 어떤 신발을 신어요? 안나 씨와 마리 씨가 신발 가게에서 이야기해요.
무슨 이야기를 할까요?

안나: 마리 씨, 여기 예쁜 신발이 많아요. 잠깐 구경 좀 할까요?

마리: 좋아요. 신발을 하나 사야 하는데 잘 됐어요.

안나: 마리 씨는 노란색을 좋아하죠? 이 운동화는 어때요?

마리: 음. 집에 비슷한 운동화가 있어요.

　　　저는 정장에 어울리는 신발이 하나 있으면 좋겠어요.

안나: 그럼 저 까만 구두는 어때요? 정장에 잘 어울릴 것 같아요.

마리: 와, 예뻐요. 디자인도 단순해서 매일 신기 좋을 것 같아요.

1) 마리 씨는 무슨 색을 좋아해요?　　　　2) 마리 씨는 어떤 신발을 찾아요?

---

2. 다음과 같이 친구와 이야기해 보세요.

이 가게에 좋은 물건이 많죠?　　　네. 여기에서 새 책상을 하나 사면 좋겠어요.

어떤 책상을 사고 싶어요?　　　크기가 작고 하얀 책상요.

1)
책상
크기가 작다
하얗다

2)
운동화
가격이 싸다
까맣다

3)

---

3. 여러분은 지금 사고 싶은 물건이 있어요? 어디에서 살 수 있을까요? 어떤 색과 모양이 좋아요?
친구와 이야기해 보세요.

새 어휘 | 비슷하다 / 어울리다

인터넷 쇼핑

1. 여러분은 인터넷 쇼핑을 해요? 지금 재민 씨가 인터넷에서 물건을 사고 있어요.
무엇을 살 수 있을까요? 어떤 물건을 사면 좋을까요?

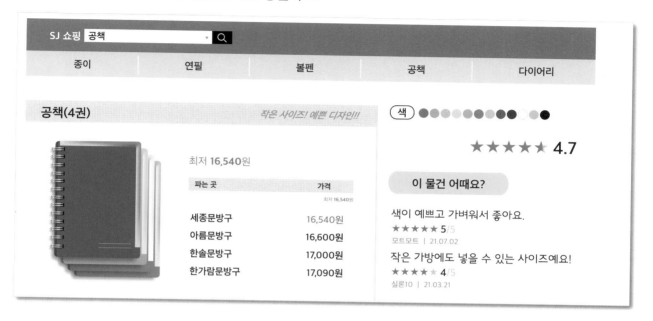

1) 지금 어떤 물건을 구경하고 있어요?

2) 어디에서 제일 싼 물건을 살 수 있어요?

2. 자주 사는 물건이 있어요? 보통 그 물건을 어디에서 사요? 그 물건을 살 때는 무엇을 확인해요?
생각한 것을 글로 쓰고 친구들과 이야기해 보세요.

1) 자주 사는 물건:

2) 보통 그 물건을 사는 곳:

3) 물건을 살 때 확인하는 것:

새 어휘 | 종이 / 연필 / 볼펜 / 다이어리 / 문방구 / 확인하다

| 어휘와 표현 | 하얗다 / 까맣다 / 파랗다 / 빨갛다 / 노랗다 / 크다 / 작다 / 비싸다 / 싸다 / 단순하다 / 복잡하다 / 적당하다 / 가격 / 크기 / 디자인 |

| 문법 | ㅎ 불규칙 |

저 하얀 바지 주세요.

-(으)면 좋겠다
사이즈가 좀 더 크면 좋겠어요.

자기
점검

1. 물건의 색과 모양을 이야기할 수 있어요?
2. 사고 싶은 물건에 대해 이야기할 수 있어요?

한국을 여행한 적이 있어요?

여행 계획에 대한 조언을 구할 수 있어요.

여러분은 한국을 여행해 봤어요?
어디에 갔어요? 아직 여행을
안 했으면 어디에 가고 싶어요?

왜 많은 사람들이
한국을 여행할까요?

한국에 여행 가는 이유

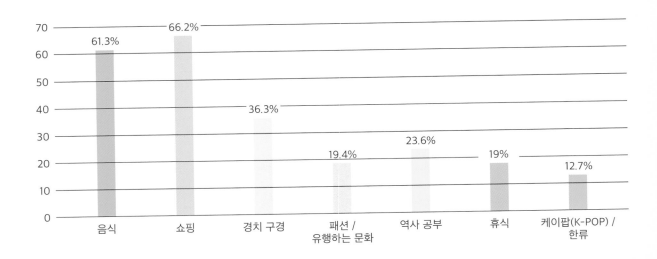

- 음식 61.3%
- 쇼핑 66.2%
- 경치 구경 36.3%
- 패션 / 유행하는 문화 19.4%
- 역사 공부 23.6%
- 휴식 19%
- 케이팝(K-POP) / 한류 12.7%

여행 준비

1. 여행 준비는 어떻게 해야 할까요? 여러분이 여행을 준비할 때 하는 것에 √ 표시를 해 보세요.

을/를 알아보다

을/를 정하다

을/를 예약/예매하다

□ 유명한 여행지 □ 맛집

□ 날짜

□ 숙소를 예약하다

□ 좋은 숙소

□ 교통편

□ 여행지

□ 비행기표/기차표를
예매하다

□ 날씨

□ 교통편

---

2. 잘 듣고 알맞은 그림을 연결해 보세요.

01

1) 2) 3) 4)
• • • •

• • • •

---

3. 여러분은 여행 전에 특별히 준비하는 것이 있어요? 다음과 같이 이야기해 보세요.

저는 여행 가는 나라의 말을 조금 공부해요.

문법 1 –(으)ㄴ 적이 있다

동사와 결합하여 과거의 사건이나 경험을 이야기할 때
사용해요. 반대로 경험이 없다는 것을 나타낼 때는
'–(으)ㄴ 적이 없다'로 말하면 돼요. '–아/어 보다'와 같이
써서 '–아/어 본 적이 있다'로 경험을 이야기할 수도 있어요.

가: 와, 제가 가장 좋아하는 배우예요.

나: 이 사람 한국에서 본 적이 있어요.

1. 다음과 같이 문장을 완성해 보세요.

저는 아르바이트를
한 적이 있어요.

(하다)

1) 엔 서울 타워에 _____ . (가다)

2) 한국에서 불고기를 _____ . (먹다)

3) 외국에서 _____ . (살다)

4) 이 가수의 음악을 _____ . (듣다)

---

2. 여러분은 어떤 특별한 일을 해 봤어요? 다음과 같이 친구와 이야기해 보세요.

혼자 여행을 한 적이 있어요?

네. 저는 혼자 여행을 한 적이 있어요.

어디에서 혼자 여행을 했어요?

일본에서 혼자 여행을 했어요.

혼자 여행을 한 적이 있어요?

아니요. 저는 혼자 여행을 한 적이 없어요.

어디에서 혼자 여행을 해 보고 싶어요?

독일에서 혼자 여행을 해 보고 싶어요.

(혼자 여행을 하다)

	특별한 일	나	친구
1)	혼자 여행을 하다		
2)			
3)			

새 어휘 | 엔 서울 타워 / 독일

동안

명사와 결합하여 어떤 일이 계속되는 시간이나 기간을 나타낼 때 사용해요. 동사와 결합할 때는 '-는 동안'으로 말해요.

가: 이번 설날에는 며칠 쉬어요?

나: 20일부터 22일까지 3일 동안 쉬어요.

⊕ **더 알아봐요**

설날은 새로운 일 년이 시작되는 첫날이에요. 이날 한국 사람들은 새로운 일 년의 시작을 축하하며 가족들과 모두 모여 맛있는 음식을 먹고 전통 놀이를 해요.

1. 다음과 같이 문장을 완성해 보세요.

오늘 3시간 동안 운동했어요.

(3시간)

1) .... 집을 청소했어요. (2시간)

2) .... 한국을 여행했어요. (5일)

3) .... 한국어를 공부했어요. (10주)

4) .... 수영을 배울 거예요. (휴가)

---

2. 여러분은 특별한 경험을 한 적이 있어요? 다음과 같이 친구와 이야기해 보세요.

몇 시간 동안 친구를 기다린 적이 있어요?

네. 2시간 동안 기다린 적이 있어요.

친구가 왜 늦었어요?

친구 아르바이트가 늦게 끝났어요.

몇 시간 동안 친구를 기다린 적이 있어요?

아니요. 저는 친구가 늦으면 기다리지 않아요.

(몇 시간 / 친구를 기다리다)

1)

(몇 시간 / 물만 마시다)

2)

(며칠 / 안 자다)

3)

(/)

4)

(/)

한국 여행

1. 여러분은 여행을 준비할 때 친구와 어떤 이야기를 해요? 주노 씨와 안나 씨가 여행 이야기를 해요.
    무슨 이야기를 할까요?

주노: 안나 씨, 이번 방학에 뭐 할 거예요?

안나: 이번 방학에 드디어 친구와 한국에 가요!
    비행기표도 벌써 예매했어요.

주노: 그래요? 저도 작년에 한 달 동안 한국을 여행했는데 정말 재미있었어요.

안나: 와, 한국을 여행한 적이 있어요? 어디가 좋았어요?

주노: 다 좋았는데 엔 서울 타워에 꼭 가 보세요. 거기 경치가 아주 좋아요.

1) 안나 씨는 방학 동안 뭘 할 거예요?

2) 주노 씨는 안나 씨에게 어디를 추천했어요?
    왜 거기를 추천했어요?

2. 다음과 같이 친구와 이야기해 보세요.

> 주노 씨, 휴가 동안
> 뭐 할 거예요?

> 친구와 태국에 갈 거예요.
> 마리 씨도 태국을 여행한 적이 있죠?

> 네. 2년 전에 태국에 갔다 왔는데 정말 좋았어요.
> 비행기표는 예매했어요?

> 네. 지금은 유명한 여행지와
> 좋은 숙소를 알아보고 있어요.

1)
| 비행기표를 예매하다 |
| 유명한 여행지 |
| 좋은 숙소 |

2)
| 숙소를 예약하다 |
| 교통편 |
| 맛집 |

3)
| |
| |
| |

| 발음 | 작년 [장년] | 'ㄱ, ㄲ, ㅋ'이 받침에 오면 [ㄱ]으로 발음해요. 그런데 이 [ㄱ] 뒤에 자음 'ㄴ'이 오면 [ㄱ]이 [ㅇ]으로 발음돼요. | 듣고 따라 해 보세요. ○ **작년**에 한국을 여행했어요. ○ 자주 **먹는** 음식이 뭐예요? |

새 어휘 ㅣ 드디어 / 벌써

활동 2

여행 동아리에 질문하기

1. 여러분은 여행 준비할 때 어떻게 정보를 알아봐요? 안나 씨가 여행 동아리 게시판에 여행 정보를 물어보는 글을 썼어요. 어떤 여행 정보를 물어봤을까요?

서울 여행 이렇게 가면 어때요?

 ANNA0810

여러분, 방학 계획 다 세웠어요?
저는 이번 방학 동안 서울로 여행 가려고 해요.
서울에 가 본 적이 없는데 정말 재미있을 것 같아요.
친구하고 계획을 이렇게 세웠는데 어때요?
괜찮을까요? 아, 한국에 도착하는 날은 오후 5시에
인천공항에 도착하고, 집에 오는 날은 밤 10시에 인천공항에서 비행기를 탈 거예요.

서울 여행 계획   날짜: 8월 20일~8월 24일

	1일 <한국 도착>	2일	3일	4일	5일 <집으로 출발>
날씨	☁	☀	☀	☀	☀
여행지	인천공항 홍대	동대문시장, 청계천, 케이팝(K-POP) 콘서트	명동, 엔 서울 타워	경복궁, 광화문, 인사동	북촌 한옥마을, 국립중앙박물관
숙소	홍대 게스트하우스	서울 호텔	한국 호텔	서울 호텔	
교통편	공항버스	지하철, 버스	지하철, 버스	지하철, 버스	지하철

	주노	와, 재미있을 것 같아요. 그런데 서울은 교통이 편해서 호텔을 바꾸지 않아도 괜찮을 거예요.
	유미	저도 서울에 가 본 적이 있는데 서울을 5일 동안 여행하는 것은 좀 긴 것 같아요. 춘천에 한번 가 보세요. 남이섬이 있는데 거기에서 드라마나 영화를 많이 찍었어요.
	재민	국립중앙박물관에서 예쁜 물건을 많이 팔아요. 선물은 거기에서 사세요.

1) 안나 씨는 한국에서 며칠 동안 여행을 할 거예요? 어디에 갈 거예요?

2) 여러분은 지금 어디를 여행하고 싶어요? 거기에 간 적이 있는 친구가 있어요? 친구하고 이야기해 보세요.

2. 위의 글과 같이 여러분의 여행 계획을 세우고 친구들에게 조언을 받아 보세요. 그리고 좋은 조언을 찾아보세요.

_____ 여행 계획

날짜					

새 어휘 | 세우다 / 인천공항 / 도착하다 / 홍대 / 동대문시장 / 청계천 / 광화문 / 게스트하우스 /
공항버스 / 춘천 / 남이섬 / 북촌 한옥마을 / 국립중앙박물관

어휘와 표현	유명한 여행지를 알아보다 / 맛집을 알아보다 / 좋은 숙소를 알아보다 / 교통편을 알아보다 / 날씨를 알아보다 / 날짜를 정하다 / 여행지를 정하다 / 교통편을 정하다 / 숙소를 예약하다 / 비행기표, 기차표를 예매하다
문법	-(으)ㄴ 적이 있다 한국에서 배우를 본 적이 있어요. 동안 설날에 3일 동안 쉬어요.

자기
점검

1. 여행 준비에 대해 말할 수 있어요?
2. 여행 계획에 대한 조언을 구할 수 있어요?

박물관에서 도장을 만들어 봤어요

여행 경험을 말할 수 있어요.

여러분은 여행 가서 특별한 경험을 한 적이 있어요?

여러분이 여행 가서 해 보고 싶은 경험이 있어요?

여행 경험

1. 여러분은 여행지에서 무엇을 해요? √ 표시를 해 보세요. 그리고 듣고 따라 해 보세요.

☐ 야경을 보다

☐ 박물관에 가다

☐ 전통 음식을 먹다

☐ 기념품을 사다

☐ 멋있는 카페에 가다

2. 여러분이 여행한 곳들은 어땠어요? √ 표시를 해 보세요. 그리고 듣고 따라 해 보세요.

☐ 경치가 아름답다

☐ 음식이 입에 맞다

☐ 분위기가 좋다

☐ 쉬기에 좋다

☐ 구경거리가 많다

3. 여행지를 정할 때 뭐가 제일 중요해요?
순서대로 번호를 써 보세요. 친구들은 어때요?

(   ) 경치가 아름답다
(   ) 음식이 입에 맞다
(   ) 분위기가 좋다
(   ) 쉬기에 좋다
(   ) 구경거리가 많다

4. 여행 가면 꼭 하거나 가는 곳이 있어요?
다음과 같이 이야기해 보세요.

> 저는 비행기표, 기차표,
> 이런 표를 모아요.

–아/어 보다

동사와 결합하여 경험한 일이나 시도해 본 일을 나타낼 때 사용해요. 어떤 일을 한 경험이 없을 때는 '안/못 -아/어 봤다'로 말할 수 있어요.

한국 여행 가서 뭐 했어요?

서울에서 박물관에 가 봤어요.

1. 다음과 같이 문장을 완성해 보세요.

바다에서 수영해 봤어요.

(수영하다)

1) 한국에서 떡국을 ＿＿＿＿＿＿＿＿＿＿. (먹다)

2) 한국 가수의 노래를 ＿＿＿＿＿＿＿＿＿＿. (듣다)

3) 좋아하는 배우에게 편지를 ＿＿＿＿＿＿＿. (쓰다)

4) 케이크를 ＿＿＿＿＿＿＿＿＿＿＿＿＿. (만들다)

2. 다음과 같이 친구와 이야기해 보세요.

아르바이트를 해 봤어요?

네. 해 봤어요.

어디에서 아르바이트를 해 봤어요?

카페에서 아르바이트를 해 봤어요.

아르바이트를 해 봤어요?

아니요. 아르바이트를 안 해 봤어요.

해 보고 싶은 아르바이트가 있어요?

영어를 가르쳐 보고 싶어요.

1)

혼자 여행을 하다

2)

번지 점프를 하다

3)

한국 책을 읽다

4)

새 어휘 | 번지 점프

-(으)ㄴ

가: 여행하면서 한국 사람들을 많이 만났어요? 어땠어요?

나: 네. 한국에서 만난 사람들이 모두 친절했어요.

1. 다음과 같이 문장을 완성해 보세요.

> 어제 먹은 불고기가
> 정말 맛있었어요.
>
> (먹다)

1) 어제 .... 한국 드라마가 재미있었어요. (보다)

2) 이 사진은 남산에서 .... 사진이에요. (찍다)

3) 아침에 .... 노래는 한국 노래예요. (듣다)

4) 제가 .... 케이크를 먹어 보세요. (만들다)

---

2. 다음과 같이 친구와 이야기해 보세요.

> 어제 저녁에 뭘 먹었어요?

> 어제 저녁에 먹은 음식은 김밥이에요.

		나	
1)	어제 저녁에 뭘 먹었어요?		
2)	지난 토요일에 누구를 만났어요?		
3)	주말에 무슨 운동을 했어요?		
4)	어제 무슨 드라마를 봤어요?		
5)			

한국 여행 경험

03

1. 여러분은 여행을 다녀오면 친구와 어떤 이야기를 해요?
주노 씨와 안나 씨가 안나 씨의 한국 여행에 대해 이야기해요. 무슨 이야기를 할까요?

주노: 안나 씨, 여행은 잘 다녀왔어요?

안나: 네. 주노 씨 고마워요. 주노 씨가 추천한 엔 서울 타워에 가 봤어요.
거기에서 본 야경이 정말 아름다웠어요.

주노: 다행이에요. 한국 전통 음식도 많이 먹어 봤어요?

안나: 네. 제 입에 잘 맞았어요. 그리고 박물관에도 가 봤어요.

주노: 와, 정말요? 저는 박물관은 안 가 봤는데 어땠어요?

안나: 한국의 역사를 알 수 있어서 좋았어요. 그리고 박물관에서
도장을 만들어 봤어요. 이거 보세요. 멋있죠?

1) 안나 씨는 한국에서 뭘 했어요?　　2) 박물관은 어땠어요?

---

2. 다음과 같이 친구와 이야기해 보세요.

> 유진 씨, 프랑스 여행은 어땠어요?
> 구경거리가 많았죠?

> 네. 너무 좋았어요. 특히 박물관에서 본 그림이
> 아주 아름다웠어요.

> 박물관도 가고 또 뭘 했어요?

> 기념품도 많이 사고 멋있는 카페에도 가 봤어요.

1)	2)	3)	4)
프랑스	태국	한국	
구경거리가 많다	쉬기에 좋다	경치가 아름답다	
박물관, 그림을 보다	짜오프라야강, 야경을 보다	제주도, 바다를 보다	

새 어휘 | 다행 / 역사 / 도장 / 짜오프라야강

여행지에서 쓰는 편지

활동
2

1. 여러분은 여행지에서 친구나 가족에게 편지를 써 본 적이 있어요?
안나 씨가 엔 서울 타워에서 마리 씨에게 편지를 썼어요. 무슨 내용일까요?

마리 씨에게

마리 씨, 안나예요. 지금 엔 서울 타워에서 이 편지를 쓰고 있어요. 한국에서 벌써 3일 동안 여행을 했는데 너무 즐거워요. 한국은 구경거리가 많고 음식이 입에 맞아서 좋아요. 그동안 쇼핑도 하고 맛있는 음식도 많이 먹어 봤어요. 어제는 신당동에서 떡볶이를 먹어 봤는데 정말 맛있었어요. 그리고 마리 씨에게 주려고 기념품도 사고 제 옷도 많이 샀는데 특히 홍대에서 산 옷이 너무 마음에 들어요.

오늘은 엔 서울 타워에서 서울 야경을 볼 거예요. 정말 아름다울 것 같아요. 나중에 마리 씨와 한국에 또 여행 오고 싶어요. 보고 싶어요, 마리 씨.

– 서울에서
안나.

1) 안나 씨는 한국에서 뭘 했어요?

2) 여러분은 어디를 여행해 봤어요? 이야기해 보세요.

---

2. 여러분이 여행한 곳을 소개하는 글을 써 보세요. 거기에서 뭘 했어요? 그곳은 어떤 곳이었어요?

새 어휘 | 그동안 / 신당동 / 마음에 들다 / 나중

어휘와 표현	야경을 보다 / 박물관에 가다 전통 음식을 먹다 / 기념품을 사다 / 멋있는 카페에 가다 / 경치가 아름답다 / 음식이 입에 맞다 / 분위기가 좋다 / 쉬기에 좋다 / 구경거리가 많다
문법	-아/어 보다 서울에서 박물관에 가 봤어요. -(으)ㄴ 한국에서 만난 사람들이 모두 친절했어요.

자기
점검

1. 여행에서 한 일을 말할 수 있어요?
2. 여행에서 본 것을 말할 수 있어요?

부록

듣기 지문 2A

01 🔊 저는 프로그램 만드는 일을 해요

01 🔊 저는 프로그램 만드는 일을 해요

어휘와 표현 | 1번 | 15쪽

알맞은 것을 연결해 보세요. 그리고 듣고 따라 해 보세요.

1) 대학교에 다니다, 학생
2) 미용실에서 일하다, 헤어 디자이너
3) 한국어를 가르치다, 교사
4) 프로그램을 만들다, 프로그래머
5) 빵을 굽다, 제빵사

활동 1 | 1번 | 18쪽

여러분은 처음 만난 사람과 무슨 이야기를 해요? 유미 씨와 마리 씨가 처음 만나서 이야기해요. 무슨 이야기를 할까요?

유미 : 안녕하세요? 저는 유미라고 해요.
마리 : 저는 마리예요. 반가워요.
유미 : 마리 씨는 무슨 일을 해요?
마리 : 저는 프로그램 만드는 일을 해요.
　　　컴퓨터 회사에 다녀요.
유미 : 그래요? 저는 빵을 만드는 일을 해요. 제빵사예요.

02 🔊 등산을 하거나 운동 모임에 가요

어휘와 표현 | 3번 | 23쪽

대화를 듣고 다음과 같이 써 보세요.

가: 주말에 뭐 하는 것을 좋아해요?
나: 배드민턴 치는 것하고 자전거 타는 것을 좋아해요.

[예시]
가: 주말에 뭐 하는 것을 좋아해요?
나: 낚시하는 것하고 사진 찍는 것을 좋아해요.

활동 1 | 1번 | 26쪽

여러분은 휴일에 보통 뭐 해요? 재민 씨와 마리 씨가 휴일에 하는 일에 대해 이야기해요. 무슨 이야기를 할까요?

재민 : 마리 씨는 휴일에 뭐 해요?
마리 : 등산을 하거나 운동 모임에 가요.
재민 : 아, 휴일에는 보통 운동을 해요?
마리 : 네. 이번 주말에도 친구하고 등산을 할 거예요.
재민 : 그래요? 이번 주말에는 비가 올 거예요.
마리 : 정말요? 토요일에도 비가 올까요?
재민 : 네. 오늘 일기 예보에서 들었어요.

03 🔊 요즘 아침마다 회의가 있어요

어휘와 표현 | 2번 | 31쪽

민호 씨는 매일 어떤 일을 해요? 잘 듣고 일을 하는 순서대로 번호를 써 보세요.

　안녕하세요. 저는 한국대학교에 다니고 있는 민호라고 해요. 저는 매일 아침 7시쯤 일어나요. 그리고 학교에 가요. 학교 식당에서 아침을 먹고 10시부터는 수업을 들어요. 수업이 끝난 후에 점심을 먹고 오후에는 아르바이트를 해요. 7시쯤에 아르바이트가 끝나요. 그럼 집에 가서 저녁을 먹어요.

활동 1 | 1번 | 34쪽

여러분은 친구와 전화로 무슨 이야기를 해요? 재민 씨와 주노 씨가 전화로 저녁 약속을 해요. 무슨 이야기를 할까요?

재민 : 주노 씨, 오늘 같이 저녁 먹어요.
주노 : 좋아요. 그런데 저 오늘 일찍 퇴근 못 할 거예요.
재민 : 그래요? 언제 퇴근할 수 있어요?
주노 : 7시 반쯤요. 요즘 아침마다 회의가 있어요.
　　　그래서 퇴근하기 전에 회의 준비를 끝내야 해요.
재민 : 저는 괜찮아요. 퇴근할 때 전화 주세요.
주노 : 네. 재민 씨.

04 🔊 청바지에다가 티셔츠를 입으려고 해요

어휘와 표현 | 1번 | 39쪽

아는 것에 √ 표시를 해 보세요. 그리고 듣고 따라 해 보세요.

모자	장갑	넥타이	목도리
스카프	양말	구두	운동화
블라우스	와이셔츠	스웨터	티셔츠
치마	청바지	정장 바지	반바지
원피스			

활동 1 | 1번 | 42쪽

여러분은 인터넷으로 옷을 사요? 안나 씨와 마리 씨가 인터넷으로 옷을 구경하면서 이야기하고 있어요. 무슨 이야기를 할까요?

안나: 마리 씨, 지금 쇼핑해요?

마리: 네. 옷을 좀 사려고요.
　　　다음 주말에 친구들하고 바다에 놀러 가기로 했어요.

안나: 정말 좋겠어요. 어떤 옷을 살 거예요?

마리: 티셔츠요. 청바지에다가 티셔츠를 입으려고 해요.

안나: 그럼 이 티셔츠는 어떨까요?

마리: 와, 정말 예뻐요!

05 🔊 거실 창문이 커서 경치를 구경하기가 좋아요

어휘와 표현 | 2번 | 47쪽

어떤 집을 이야기해요? 잘 듣고 알맞은 그림의 번호를 쓰세요.

1) 가: 집이 어때요?
　　나: 좁고 어두워요.

2) 가: 집이 어때요?
　　나: 좁지만 짐이 없고 밝아요.

3) 가: 집이 어때요?
　　나: 넓지만 지저분하고 짐이 많아요.

4) 가: 집이 어때요?
　　나: 깨끗하고 넓지만 어두워요.

활동 1 | 1번 | 50쪽

주노 씨가 이사를 했어요. 재민 씨와 주노 씨가 주노 씨의 새집 이야기를 해요. 무슨 이야기를 할까요?

재민: 주노 씨, 어제 이사 잘 했어요?

주노: 네. 짐이 많아서 좀 힘들었지만 잘 끝냈어요.

재민: 평일이라 도와주지 못해서 미안했어요. 새집은 어때요?
　　　넓어요?

주노: 아니요. 그렇지만 거실 창문이 커서 경치를 구경하기가 좋아요.

재민: 와, 저도 그런 집으로 이사 가고 싶어요.

주노: 하하하. 그렇게 좋은 집은 아니에요.
　　　재민 씨 집에서 멀지 않으니까 다음에 한번 놀러 오세요.

06 🔊 커피를 마시면서 음악을 들어요

어휘와 표현 | 1번 | 55쪽

카페에 무엇이 있어요? 아는 것에 √ 표시를 해 보세요. 그리고 듣고 따라 해 보세요.

메뉴	달력	벽	포스터
화분	테이블	꽃병	인형
쿠션			

활동 1 | 1번 | 58쪽

재민 씨와 주노 씨가 카페에서 만났어요. 두 사람이 카페에 대해 이야기해요. 무슨 이야기를 할까요?

재민: 와, 이 카페 분위기가 정말 좋아요.

주노: 그렇죠? 사람이 많지 않아서 오래 있기도 좋아요.

재민: 주노 씨, 여기 자주 와요?

주노: 네. 쉬고 싶을 때마다 혼자 여기 와요.

재민: 혼자 와서 보통 뭐 해요?

주노: 그냥 커피를 마시면서 음악을 들어요.
　　　가끔 심심할 때는 여기저기 놓여 있는 잡지도 읽고요.

07 🔊 스트레스를 받으면 가슴이 답답해요

어휘와 표현 | 1번 | 63쪽

스트레스를 많이 받을 때 몸이 어때요? √ 표시를 해 보세요. 그리고 듣고 따라 해 보세요.

1) 가슴이 답답하다

2) 머리가 복잡하다

3) 속이 안 좋다

4) 얼굴이 붓다/눈이 붓다

5) 잠이 안 오다

6) 얼굴에 뭐가 나다

활동 1 | 1번 | 66쪽

여러분은 스트레스를 받으면 몸이 어때요? 안나 씨와 유진 씨가 오랜만에 만나서 스트레스 이야기를 해요. 무슨 이야기를 할까요?

안나: 유진 씨, 오랜만이에요. 요즘 많이 바쁘죠?

유진: 네. 어제도 저녁을 못 먹어서 밤에 라면을 먹었어요.
　　　지금 제 얼굴 많이 부었죠?

안나: 아니요. 괜찮아요. 바빠서 스트레스를 많이 받지요?
　　　저도 요즘 스트레스 받아서 잠이 안 와요.

유진: 네. 저는 스트레스를 받으면 가슴이 답답해요.
　　　그리고 자꾸 매운 음식이 먹고 싶어요.

안나: 어, 저도요. 그럼 우리 오늘 맵고 맛있는 음식 먹으러 가요!

08 🔊 잠이 안 오면 가벼운 운동을 해 보세요

어휘와 표현 | 2번 | 71쪽

잘 듣고 알맞은 그림을 연결해 보세요.

1) 남: 요즘 퇴근하면 뭐 해요?
   여: 공원에서 가벼운 운동을 해요.
2) 여: 고기를 많이 먹어요? 채소를 많이 먹어요?
   남: 음. 저는 음식을 골고루 먹어요.
3) 남: 보통 잠을 일찍 자요?
   여: 아니요. 컴퓨터를 오래 하고 늦게 자요.
4) 여: 어디 안 좋아요?
   남: 어제 야식을 많이 먹어서 속이 좀 안 좋아요.

활동 1 | 1번 | 74쪽

여러분은 밤에 잠이 잘 와요? 잠이 안 오면 어떻게 하는 것이 좋을까요? 재민 씨와 마리 씨가 생활 습관을 이야기해요. 무슨 이야기를 할까요?

재민: 마리 씨, 이거 제가 집에서 가져왔어요. 마셔 보세요. 한국 커피예요.
마리: 와, 안 그래도 피곤해서 커피를 마시고 싶었는데 고마워요.
재민: 왜요? 어제 잠을 잘 못 잤어요?
마리: 네. 푹 자고 싶은데 잠이 안 와요. 뭐 좋은 방법 없을까요?
재민: 음. 잠이 안 오면 낮에 가벼운 운동을 해 보세요.
마리: 그럴까요? 고마워요.

09 🔊 그럼 칼국수를 먹는 게 어때요?

어휘와 표현 | 2번 | 79쪽

식당에 가서 뭐 해요? 잘 듣고 맞는 것을 찾아 번호를 써 보세요.

1) 메뉴를 봐요.   2) 카드로 계산해요.
3) 음식을 주문해요.   4) 메뉴를 정해요.
5) 현금으로 계산해요.

활동 1 | 1번 | 82쪽

여러분은 친구와 어디에서 밥을 먹어요? 재민 씨와 마리 씨가 한국 식당에서 음식을 주문해요. 두 사람은 뭘 먹을까요?

재민: 뭐 주문할 거예요? 정했어요?
마리: 아직요. 재민 씨는 뭐 시킬 거예요?
재민: 저는 김치찌개를 시키려고 해요. 마리 씨는요?
마리: 음. 저는 안 매운 음식을 먹고 싶어요.
      맵지 않고 맛있는 음식이 있을까요?
재민: 그럼 칼국수를 먹는 게 어때요? 칼국수는 별로 맵지 않을 거예요.
마리: 좋아요. 여기요! 김치찌개하고 칼국수 주세요.

10 🔊 그럼 저 까만 구두는 어때요?

어휘와 표현 | 2번 | 87쪽

아는 것에 √ 표시를 해 보세요. 그리고 듣고 따라 해 보세요.

크기   크다   작다   디자인
단순하다   복잡하다   가격   비싸다
싸다   적당하다

활동 1 | 1번 | 90쪽

여러분은 학교나 회사에 갈 때 어떤 신발을 신어요? 안나 씨와 마리 씨가 신발 가게에서 이야기해요. 무슨 이야기를 할까요?

안나: 마리 씨, 여기 예쁜 신발이 많아요. 잠깐 구경 좀 할까요?
마리: 좋아요. 신발을 하나 사야 하는데 잘 됐어요.
안나: 마리 씨는 노란색을 좋아하죠? 이 운동화는 어때요?
마리: 음. 집에 비슷한 운동화가 있어요.
      저는 정장에 어울리는 신발이 하나 있으면 좋겠어요.
안나: 그럼 저 까만 구두는 어때요? 정장에 잘 어울릴 것 같아요.
마리: 와, 예뻐요. 디자인도 단순해서 매일 신기 좋을 것 같아요.

11 🔊 한국을 여행한 적이 있어요?

어휘와 표현 | 2번 | 95쪽

잘 듣고 알맞은 그림을 연결해 보세요.

1) 가: 안나 씨, 여행 준비 다 했어요?
   나: 아니요. 지금 숙소를 예약하려고 해요.
2) 가: 마리 씨, 주말에 같이 산에 가는 게 어때요?
   나: 주말 날씨를 알아봤는데 비가 올 거예요. 다음 주에 가요.
3) 가: 주노 씨, 서울까지 어떻게 갈 거예요? 교통편을 정했어요?
   나: 네. 버스를 타고 갈 거예요.
4) 가: 와, 유진 씨, 여기는 어디예요? 아름다워요.
   나: 경복궁이에요. 지금 서울에서 여행하려고 유명한 여행지를 알아보고 있어요.

활동 1 | 1번 | 98쪽

여러분은 여행을 준비할 때 친구와 어떤 이야기를 해요? 주노 씨와 안나 씨가 여행 이야기를 해요. 무슨 이야기를 할까요?

주노: 안나 씨, 이번 방학에 뭐 할 거예요?
안나: 이번 방학에 드디어 친구와 한국에 가요!
      비행기표도 벌써 예매했어요.
주노: 그래요? 저도 작년에 한 달 동안 한국을 여행했는데 정말 재미있었어요.
안나: 와, 한국을 여행한 적이 있어요? 어디가 좋았어요?
주노: 다 좋았는데 엔 서울 타워에 꼭 가 보세요. 거기 경치가 아주 좋아요.

12 🔊 박물관에서 도장을 만들어 봤어요

어휘와 표현 | 1번 | 103쪽

여러분은 여행지에서 무엇을 해요? √ 표시를 해 보세요. 그리고 듣고 따라 해 보세요.

야경을 보다   박물관에 가다
전통 음식을 먹다   기념품을 사다
멋있는 카페에 가다

어휘와 표현 | 2번 | 103쪽

여러분이 여행한 곳들은 어땠어요? √ 표시를 해 보세요. 그리고 듣고 따라 해 보세요.

경치가 아름답다   음식이 입에 맞다
분위기가 좋다   쉬기에 좋다
구경거리가 많다

활동 1 | 1번 | 106쪽

여러분은 여행을 다녀오면 친구와 어떤 이야기를 해요? 주노 씨와 안나 씨가 안나 씨의 한국 여행에 대해 이야기해요. 무슨 이야기를 할까요?

주노: 안나 씨, 여행은 잘 다녀왔어요?
안나: 네. 주노 씨 고마워요. 주노 씨가 추천한 엔 서울 타워에 가 봤어요. 거기에서 본 야경이 정말 아름다웠어요.
주노: 다행이에요. 한국 전통 음식도 많이 먹어 봤어요?
안나: 네. 제 입에 잘 맞았어요. 그리고 박물관에도 가 봤어요.
주노: 와, 정말요? 저는 박물관은 안 가 봤는데 어땠어요?
안나: 한국의 역사를 알 수 있어서 좋았어요. 그리고 박물관에서 도장을 만들어 봤어요. 이거 보세요. 멋있죠?

모범답안 2A

---

01 저는 프로그램 만드는 일을 해요

어휘와 표현 | 1번 | 15쪽

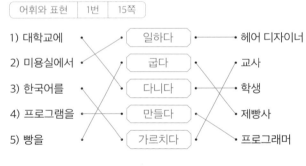

1) 대학교에 — 다니다

2) 미용실에서 — 일하다 — 헤어 디자이너

3) 한국어를 — 가르치다 — 교사

4) 프로그램을 — 만들다 — 프로그래머

5) 빵을 — 굽다 — 제빵사

학생

어휘와 표현 | 2번 | 15쪽

1) 저는 한국어를 가르쳐요. 선생님이에요.

2) 저는 빵을 구워요. 제빵사예요.

어휘와 표현 | 3번 | 15쪽

[예시]

저는 세종학당에서 한국어를 가르치고 싶어요.

문법 1 | 1번 | 16쪽

1) 주노라고 해요

2) 재민이라고 해요

3) 수지라고 해요

4) [예시]

　유진이라고 해요

문법 1 | 2번 | 16쪽

[예시]

가: 'eraser'를 한국어로 뭐라고 해요?

나: 지우개라고 해요.

문법 2 | 1번 | 17쪽

1) 좋아하는 운동이에요

2) 자주 마시는 커피예요

3) 가구를 만드는 일을 해요

4) 웃는 사람을 좋아해요

문법 2 | 2번 | 17쪽

1) 자주 듣는, 한국 음악

2) 자주 가는, 카페예요

3) 자주 잃어버리는 물건은 우산이에요

4) [예시]

　제가 자주 보는 영화는 한국 영화예요.

활동 1 | 1번 | 18쪽

1) "마리 씨는 무슨 일을 해요?"라고 질문했어요.

2) (마리 씨의 직업은) 프로그래머예요.

활동 1 | 2번 | 18쪽

2) 가: 저는 수지라고 해요.

　나: 안녕하세요? 저는 히엔이라고 해요.

　가: 반가워요. 히엔 씨는 무슨 일을 해요?

　나: 저는 베트남어를 가르치는 선생님이에요.

3) [예시]

　가: 저는 수지라고 해요.

　나: 안녕하세요? 저는 안나라고 해요.

　가: 반가워요. 안나 씨는 무슨 일을 해요?

　나: 저는 한국어를 공부하는 학생이에요.

활동 2 | 1번 | 19쪽

1) 아주 크고 깨끗해요. 휴게실에서는 친구들과 같이 차를 마시고 이야기를 해요.

활동 2 | 2번 | 19쪽

[예시]

　저는 마리라고 합니다. 여기는 제가 한국어를 공부하는 세종학당입니다. 저는 일주일에 세 번 세종학당에 갑니다. 세종학당에는 교실, 요리실, 사무실이 있습니다. 제가 공부하는 교실은 작지만 깨끗합니다. 교실 옆에는 음식을 만들 수 있는 요리실도 있습니다. 요리실에서 친구들과 같이 한국 음식을 만들고 먹습니다. 친구들과 한국어를 배우는 것이 아주 즐겁습니다.

02 등산을 하거나 운동 모임에 가요

어휘와 표현 | 1번 | 23쪽

[예시]
영화를 보다
음악을 듣다
자전거를 타다

어휘와 표현 | 2번 | 23쪽

[예시]
1) 안나
2) 소설을 읽어요.
3) 만화도 그려요.

어휘와 표현 | 3번 | 23쪽

[예시]
낚시하는 것, 사진 찍는 것

문법 1 | 1번 | 24쪽

1) 읽거나
2) 치거나
3) 나
4) 이나

문법 1 | 2번 | 24쪽

[예시]
1) 주말에 운동을 하거나 친구를 만나요
2) 공원에서 산책을 하거나 자전거를 타요
3) 매일 아침에 밥이나 빵을 먹어요
4) 매일 10시나 11시쯤 자요

문법 2 | 1번 | 25쪽

1) 안 어려울까요
2) 준비해야 될까요
3) 잘 탈 수 있을까요

문법 2 | 2번 | 25쪽

1) 가: 재미있을까요
   나: 재미있을 거예요. 제가 읽었어요
2) 가: 받을까요
   나: 마리 씨가 지금 전화를 안 받을 거예요. 지금 자고 있어요
3) 가: 먹었을까요
   나: 잘 모르겠어요

활동 1 | 1번 | 26쪽

1) 마리 씨는 보통 휴일에 등산을 하거나 운동 모임에 가요.
2) 이번 주말에는 비가 와서 등산을 갈 수 없어요.

활동 1 | 2번 | 26쪽

2) 가: 유진 씨, 휴일에 뭐 해요?
   나: 카페에서 책을 읽거나 친구를 만나요.
   가: 아, 휴일에는 보통 카페에 가요?
   나: 네. 이번 주말에도 카페에 가서 책을 읽을 거예요.
3) [예시]
   가: 유진 씨, 휴일에 뭐 해요?
   나: 공원에서 산책을 하거나 배드민턴을 쳐요.
   가: 아, 휴일에는 보통 운동을 해요?
   나: 네. 이번 주말에도 공원에 가서 친구하고 배드민턴을 칠 거예요.

활동 1 | 3번 | 26쪽

[예시]
가: 안나 씨, 이번 주말에 뭐 할 거예요?
나: 집에서 음식을 만들거나 스포츠 경기를 볼 거예요.
    마리 씨는 이번 주말에 뭐 할 거예요?
가: 저는 공원에서 배드민턴을 치거나 자전거를 탈 거예요.

활동 2 | 1번 | 27쪽

1) 안나 씨의 취미는 한국 드라마를 보는 것하고 한국 음악을 듣는 것
   이에요.
   안나 씨는 취미가 같은 친구를 찾고 있어요.
2) [예시]
   제 취미는 운동을 하는 것이에요.
   저는 휴일에 보통 테니스를 치거나 운동 모임에 가요.

활동 2 | 2번 | 27쪽

[예시]
안녕하세요. 저는 유진이라고 해요.
세종학당에서 한국어를 공부하고 있어요.
저는 휴일에 낚시를 하거나 운동을 해요.
그런데 혼자 취미 생활을 하는 것이 좀 심심해요.
저하고 취미가 같은 친구가 있을까요?
같이 낚시를 하거나 운동을 하고 싶어요.
연락 주세요.

03

[예시]

세종학당에 가다

운동을 하다

점심을 먹다

1)　　　2)　　　3)　　　4)　　　5)

학교에 가요.　일어나요.　수업을 들어요.　아르바이트를 해요.　집에 가요.
(②)　　(①)　　(③)　　　(④)　　　(⑤)

[예시]

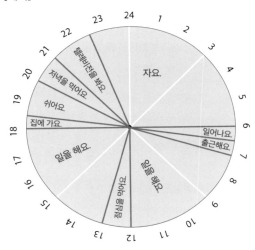

저는 매일 아침 6시쯤 일어나요. 그리고 출근해요. 오전에는 이메일을 읽고 회의를 준비해요. 점심을 먹은 후에 다시 일을 해요. 저녁 6시쯤에 퇴근을 해요. 퇴근을 한 후에는 집에 가서 저녁을 먹어요.

1) 마다

2) 마다 데이트를

3) 마다 수업을 들어요

4) 마다 세종학당에 가요

[예시]

가: 저녁마다 무엇을 해요?

나: 집에서 과제를 해요.

1) 시간이 있을 때

2) 늦었을 때

3) 노래를 하고 싶을 때

4) 먹을 때

[예시]

1) 커피를 마시고 싶을 때 카페에 가요

2) 시험공부를 해야 할 때 도서관에 가요

3) 운동을 할 때 공원에 가요

1) 주노 씨는 요즘 아침마다 회의를 해요.

2) 주노 씨와 재민 씨는 저녁에 만날 거예요.

2) 가: 안나 씨, 오늘 같이 학교에 가요.

　　나: 좋아요. 언제 어디에서 만날까요?

　　가: 아침 7시쯤에 집 앞에서 만나요.

　　나: 네. 그럼 출발할 때 전화 주세요.

3) [예시]

　　가: 안나 씨, 오늘 같이 공원에 가요.

　　나: 좋아요. 몇 시에 어디에서 만날까요?

　　가: 오후 2시쯤에 학교 앞에서 만나요.

　　나: 네. 그럼 수업 후에 전화 주세요.

1) 유진 씨가 미나 씨에게 먼저 문자를 보냈어요.

　　발표를 준비해야 해서 문자를 보냈어요.

2) [예시]

　　보통 친구에게 문자를 보내요.

　　이야기를 하고 싶어서 문자를 보내요.

[예시]

안녕하세요. 저는 미나 씨와 같은 수업을 듣고 있는 유진이에요. 우리 다음 주에 해야 하는 발표를 어떻게 준비할까요? 저는 수요일, 목요일, 금요일에 시간이 있어요. 미나 씨는 평일에 시간이 있으세요?

청바지에다가 티셔츠를 입으려고 해요

| 어휘와 표현 | 2번 | 39쪽 |

| 쓰다 |
| 끼다 | 하다 |
| 신다 | 입다 |

[예시]
장갑을 껴요.
넥타이를 해요.
양말을 신어요.
청바지를 입어요.

| 어휘와 표현 | 3번 | 39쪽 |

[예시]
저는 지금 와이셔츠하고 정장 바지를 입고 구두를 신었어요.

| 문법 1 | 1번 | 40쪽 |

1) 만나기로
2) 먹기로
3) 놀기로
4) 보기로

| 문법 1 | 2번 | 40쪽 |

[예시]
1) 마리 씨하고 점심을 먹기로 했어요.
2) 친구하고 공원에서 운동을 하기로 했어요.
3) 동생하고 영화를 보기로 했어요.
4) 안나 씨하고 여행을 가기로 했어요.

| 문법 2 | 1번 | 41쪽 |

1) 에다가 블라우스를 입으세요
2) 에다가 목도리를 하세요
3) 에다가 운동화를 신으세요

| 문법 2 | 2번 | 41쪽 |

1) 티셔츠에다가 반바지를 입고 운동화를 신어요
2) 정장에다가 넥타이를 하고 구두를 신어요
3) 운동복에다가 등산화를 신고 모자를 써요

4) [예시]
가: 친구를 만날 때 뭘 입어요?
나: 티셔츠에다가 청바지를 입고 모자를 써요.

| 활동 1 | 1번 | 42쪽 |

1) 마리 씨는 다음 주말에 친구들하고 바다에 놀러 가기로 해서 옷을 사요.
2) 마리 씨는 다음 주말에 청바지에다가 티셔츠를 입을 거예요.

| 활동 1 | 2번 | 42쪽 |

2) 가: 안나 씨, 지금 뭐 해요?
나: 옷을 고르고 있어요.
가: 어디 가요?
나: 네. 친구하고 제주도에 가기로 했어요.
가: 어떤 옷을 입을 거예요?
나: 청바지에다가 운동화를 신고 야구 모자를 쓰려고 해요.
3) [예시]
가: 안나 씨, 지금 뭐 해요?
나: 옷을 고르고 있어요.
가: 어디 가요?
나: 네. 친구하고 공원에 가기로 했어요.
가: 어떤 옷을 입을 거예요?
나: 티셔츠에다가 청바지를 입고 모자를 쓰려고 해요.

| 활동 1 | 3번 | 42쪽 |

[예시]
저는 원피스를 사고 싶어요. 여행을 가서 사진을 찍을 때 입을 거예요.

| 활동 2 | 1번 | 43쪽 |

1) 소개팅을 할 때 제일 중요한 것은 '옷'이에요. 다음으로 중요한 것은 '재미있게 이야기하는 것'이에요. 그리고 '같이 가는 장소'도 중요해요.
2) 요즘에는 소개팅을 할 때 편한 옷을 입는 사람이 많아요.

| 활동 2 | 2번 | 43쪽 |

[예시]
저는 데이트나 소개팅을 할 때 편한 옷을 입어요. 그래서 청바지에다가 티셔츠를 입고 운동화를 신은 남자를 좋아해요.

어휘와 표현 | 2번 | 47쪽

1) ① 2) ④ 3) ② 4) ③

어휘와 표현 | 3번 | 47쪽

[예시]

가: 마리 씨는 어떤 집이 좋아요?

나: 저는 회사하고 가까운 집이 좋아요.
그리고 밝고 깨끗한 집이 좋아요.

문법 1 | 1번 | 48쪽

1) 요리하기가

2) 선물하기가

3) 읽기가

4) 입기가

문법 1 | 2번 | 48쪽

2) 가: 안나 씨 집이 어때요?

나: 짐이 많아서 청소하기 안 좋아요.

3) 가: 재민 씨 집이 어때요?

나: 회사하고 가까워서 출퇴근하기 좋아요.

4) [예시]

가: 어제 날씨가 어땠어요?

나: 따뜻해서 산책하기 좋았어요.

5) [예시]

가: 새집이 어때요?

나: 작지만 밝아서 살기 좋아요.

문법 2 | 1번 | 49쪽

1) 버리지 못해요

2) 지저분하지 않아요

3) 어둡지 않아요

문법 2 | 2번 | 49쪽

[예시]

2) 가: 재민 씨는 뭘 안 먹어요?

나: 저는 생선을 싫어해서 전혀 먹지 않아요.

3) 가: 주노 씨는 뭘 못 먹어요?

나: 저는 매운 음식을 먹을 때마다 배가 너무 아파요. 그래서 매운
음식을 전혀 먹지 못해요.

4) 가: 리사 씨는 뭘 안 먹어요?

나: 저는 우유를 싫어해요. 그래서 우유를 전혀 먹지 않아요.

활동 1 | 1번 | 50쪽

1) 주노 씨는 어제 이사했어요. 짐이 많아서 좀 힘들었지만 잘 끝냈
어요.

2) 주노 씨 새집은 넓지 않지만 거실 창문이 커서 경치를 구경하기가
좋아요.

활동 1 | 2번 | 50쪽

2) 가: 오늘 날씨가 어때요?

나: 맑고 시원해서 산책하기 좋아요.

가: 산책을 자주 해요?

나: 아니요. 산책을 자주 하지 않아요.

3) [예시]

가: 교실이 어때요?

나: 조용해서 공부하기 좋아요.

가: 교실이 넓어요?

나: 아니요. 넓지 않아요.

활동 2 | 1번 | 51쪽

1) 미나 씨 가족의 새집은 넓고 경치를 구경하기 좋아요.

2) [예시]

저는 창문이 크고 밝은 집에서 살고 싶어요.

활동 2 | 2번 | 51쪽

[예시]

우리 집을 소개해요.

저는 주택에 살아요.

우리 집은 세종학당 앞에 있어요.

우리 집은 조금 넓어요. 방이 두 개고 화장실이 한 개 있어요.

그리고 집 근처에 공원이 있어서 산책하기 좋아요.

어휘와 표현 | 2번 | 55쪽

[예시]

소파 위에 인형이 놓여 있어요.

벽에 포스터가 걸려 있어요.

어휘와 표현 | 3번 | 55쪽

[예시]

방에 테이블이 놓여 있어요.

그리고 테이블 위에 책이 놓여 있어요.

| 문법 1 | 1번 | 56쪽 |

1) 이야기하면서

2) 먹으면서

3) 들으면서

4) 게임을 하면서

| 문법 1 | 2번 | 56쪽 |

[예시]

기타를 치면서 노래를 해요.

여행을 다니면서 사진을 찍어요.

인터넷을 보면서 요리를 배워요.

| 문법 2 | 1번 | 57쪽 |

1) 보지요

2) 멋있지요

3) 했지요

4) 회사원이지요

| 문법 2 | 2번 | 57쪽 |

[예시]

내가 아는 것: 한국 여름은 아주 더워요.

질문: 선생님, 한국 여름은 아주 덥지요?

| 활동 1 | 1번 | 58쪽 |

1) 주노 씨는 쉬고 싶을 때마다 카페에 가요.

2) 주노 씨는 카페에서 보통 커피를 마시면서 음악을 들어요. 가끔 여기저기 놓여 있는 잡지도 읽어요.

| 활동 1 | 2번 | 58쪽 |

2) 가: 재민 씨는 어디에 자주 가요?

　나: 저는 심심할 때마다 미술관에 가요.

　가: 미술관에서 뭐 해요?

　나: 좋아하는 음악을 들으면서 그림을 봐요.

3) [예시]

　가: 재민 씨는 어디에 자주 가요?

　나: 저는 주말마다 도서관에 가요.

　가: 도서관에서 뭐 해요?

　나: 음악을 들으면서 책을 읽어요.

| 활동 2 | 1번 | 59쪽 |

1) 소피 씨는 시간이 있을 때마다 한강공원에 가요.

　한강공원에서 보통 음악을 들으면서 산책해요.

　가끔 자전거를 타고 라면도 먹어요.

2) [예시]

저는 백화점을 좋아해요. 저는 백화점에서 쇼핑을 하고 밥도 먹어요.

| 활동 2 | 2번 | 59쪽 |

[예시]

　저는 친구를 만날 때마다 쇼핑몰에 가요. 쇼핑몰은 넓고 깨끗해요. 친구하고 쇼핑몰에 가면 보통 옷을 구경해요. 가끔 쇼핑몰에 있는 영화관에서 영화도 봐요. 영화를 본 후에 친구와 영화 이야기를 하면 정말 재미있어요. 어때요? 여러분도 가고 싶지요?

　여러분도 시간이 있을 때 쇼핑몰에 가세요. 정말 재미있을 거예요.

07 🖉　스트레스를 받으면 가슴이 답답해요

| 어휘와 표현 | 2번 | 63쪽 |

1) 잠이 안 와서

2) 가슴이 답답해요

| 어휘와 표현 | 3번 | 63쪽 |

[예시]

저는 시험이 있을 때 스트레스를 받아요.

그럼 얼굴에 뭐가 나요.

| 문법 1 | 1번 | 64쪽 |

1) 먹으면

2) 아프면

3) 추우면

4) 있으면

| 문법 1 | 2번 | 64쪽 |

[예시]

1) 가: 한국에 가면 뭐 할 거예요?

　나: 한국에 가면 한국 음식을 먹을 거예요.

2) 가: 좋아하는 배우나 가수를 만나면 뭐 할 거예요?

　나: 좋아하는 배우나 가수를 만나면 같이 사진을 찍을 거예요.

3) 가: 돈이 많으면 뭐 할 거예요?

　나: 돈이 많으면 큰 집을 살 거예요.

4) 가: 남자 친구를 만나면 뭐 할 거예요?

　나: 남자 친구를 만나면 영화를 볼 거예요.

| 문법 2 | 1번 | 65쪽 |

1) 나았어요

2) 지었어요

3) 저었어요

4) 부었어요

| 문법 2 | 2번 | 65쪽 |

[예시]

1) ②

　가: 고양이 이름을 어떻게 지을 거예요?

　나: 나비라고 지을 거예요.

③

가: 아기 이름을 어떻게 지을 거예요?

나: 히엔이라고 지을 거예요.

2) ②

가: 어떻게 하면 감기가 빨리 나아요?

나: 약을 먹으면 감기가 빨리 나을 거예요.

③

가: 어떻게 하면 감기가 빨리 나아요?

나: 푹 쉬면 감기가 빨리 나을 거예요.

| 활동 1 | 1번 | 66쪽 |

1) 유진 씨는 어제 바빠서 저녁을 못 먹었어요. 그래서 어젯밤에 라면을 먹었어요.

2) 유진 씨는 스트레스를 받으면 가슴이 답답해요. 그리고 자꾸 매운 음식이 먹고 싶어요.

| 활동 1 | 2번 | 66쪽 |

2) 가: 요즘 과제가 많아서 너무 힘들어요.

나: 과제가 많으면 스트레스를 많이 받지요?

가: 네. 스트레스 받아서 속이 안 좋아요. 마리 씨는 이럴 때 어떻게 해요?

나: 저는 속이 안 좋으면 약을 먹고 쉬어요.

3) [예시]

가: 요즘 시험이 있어서 너무 힘들어요.

나: 시험이 있으면 스트레스를 많이 받지요?

가: 네. 스트레스 받아서 잠이 안 와요. 마리 씨는 이럴 때 어떻게 해요?

나: 저는 잠이 안 오면 따뜻한 우유를 마셔요.

| 활동 2 | 1번 | 67쪽 |

1) 안나 씨는 다음 주에 중요한 시험이 있어서 요즘 스트레스를 받아요.

2) [예시]

저는 일이 많을 때 스트레스를 받아요. 스트레스를 받을 때 매운 음식을 먹으면 괜찮아요.

| 활동 2 | 2번 | 67쪽 |

[예시]

여러분은 언제 스트레스를 많이 받습니까? 저는 다음 주에 회사에서 발표를 해야 해서 요즘 스트레스를 많이 받습니다. 일을 하는 것은 재미있지만 발표하는 것은 어려워서 가끔 힘들 때가 있습니다. 저는 발표가 있으면 항상 스트레스를 받습니다. 스트레스를 받으면 가슴이 답답하고 얼굴에 뭐가 납니다. 그럴 때는 친구를 만나서 이야기하면 좀 괜찮습니다.

08 ✏️ 잠이 안 오면 가벼운 운동을 해 보세요

| 어휘와 표현 | 2번 | 71쪽 |

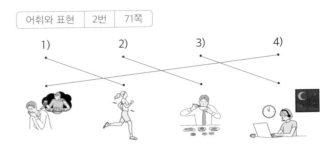

1)   2)   3)   4)

| 어휘와 표현 | 3번 | 71쪽 |

[예시]

저는 매일 책을 읽고 싶어요. /

저는 일찍 자고 일찍 일어나고 싶어요. /

손을 잘 씻는 습관이 있으면 좋을 것 같아요.

| 문법 1 | 1번 | 72쪽 |

1) 오는데   2) 읽는데

3) 심심한데   4) 좋은데

| 문법 1 | 2번 | 72쪽 |

1) 공부를 하는데 친구가 왔어요

2) 요즘 요리를 배우고 있는데 재미있어요

3) 어제 영화를 봤는데 영화가 무서웠어요

4) [예시]

세종학당에 가는데 비가 왔어요.

| 문법 2 | 1번 | 73쪽 |

1) 해 보세요   2) 입어 보세요

3) 들어 보세요   4) 써 보세요

| 문법 2 | 2번 | 73쪽 |

[예시]

2) 한국 소설이 재미있는데 한번 읽어 보세요.

3) 하나식당이 가까운데 한번 가 보세요.

4) 케이팝(K-POP)이 좋은데 한번 들어 보세요.

5) [예시]

티셔츠가 예쁜데 한번 입어 보세요.

| 활동 1 | 1번 | 74쪽 |

1) 마리 씨는 어제 잠을 잘 못 자서 피곤해요.

2) 재민 씨는 낮에 가벼운 운동을 하는 방법을 추천했어요.

활동 1 | 2번 | 74쪽

2) 가: 안나 씨, 저 요즘 일찍 자고 일찍 일어나는데 뭘 더 하면 건강에
　　좋을까요?

나: 음…. 가벼운 운동을 해 보세요. 그리고 야식을 먹지 않는 게
　　좋아요.

가: 좋은 방법인데 매일 그렇게 할 수 있을까요?

나: 쉽지 않을 거예요. 하지만 이렇게 하면 건강하게 살 수 있을
　　거예요.

3) 가: 안나 씨, 저 요즘 요가를 하는데 뭘 더 하면 건강에 좋을까요?

나: 음…. 채소를 많이 먹어 보세요. 그리고 좋아하는 음식만 먹지
　　않는 게 좋아요.

가: 좋은 방법인데 매일 그렇게 할 수 있을까요?

나: 쉽지 않을 거예요. 하지만 이렇게 하면 건강하게 살 수 있을
　　거예요.

4) [예시]

가: 안나 씨, 저 요즘 야식을 안 먹는데 뭘 더 하면 건강에 좋을까요?

나: 음…. 가벼운 운동을 해 보세요. 그리고 늦게까지 게임을 하지
　　않는 게 좋아요.

가: 좋은 방법인데 매일 그렇게 할 수 있을까요?

나: 쉽지 않을 거예요. 하지만 이렇게 하면 건강하게 살 수 있을
　　거예요.

활동 2 | 1번 | 75쪽

1) 유진 씨가 고치고 싶어 하는 습관은 늦게 자고 늦게 일어나는 것
이에요. 늦게 자서 피곤하고 가끔 지각도 해서 그 습관을 고치고
싶어요.

2) [예시]

저는 밤에 야식을 먹는 습관을 고치고 싶어요. /

저는 짜증을 잘 내는 습관을 고치고 싶어요. /

저는 컴퓨터를 오래 하는 습관을 고치고 싶어요.

활동 2 | 2번 | 75쪽

[예시]

• 고치고 싶은 습관: 저는 밤에 야식을 먹는 습관을 고치고 싶어요.

• 어떻게 하면 고칠 수 있어요?

　1) 일찍 자 보세요.

　2) 배가 고플 때 채소를 먹어 보세요.

　3) 따뜻한 우유를 마셔 보세요.

09  그럼 칼국수를 먹는 게 어때요?

어휘와 표현 | 2번 | 79쪽

1) ①　　　　2) ③　　　　3) ⑤

4) ②　　　　5) ④

어휘와 표현 | 3번 | 79쪽

[예시]

가: 주문하시겠어요?

나: 네. 칼국수 하나 주세요.

문법 1 | 1번 | 80쪽

1) 비싼 것 같아요

2) 늦을 것 같아요

3) 더울 것 같아요

4) 알 것 같아요

문법 1 | 2번 | 80쪽

1) ①　　　　2) ③　　　　3) ②

문법 1 | 3번 | 80쪽

[예시]

가: 이 불고기가 어떨까요?

나: 맛있을 것 같아요.

문법 2 | 1번 | 81쪽

1) 먹는 게 어때요

2) 시키는 게 어때요

3) 가는 게 어때요

문법 2 | 2번 | 81쪽

[예시]

2) 가: 음식이 너무 짜요.

나: 그럼 물을 좀 넣는 게 어때요?

3) 가: 한국어가 어려워요.

나: 그럼 한국 드라마를 보는 게 어때요?

4) 가: 배가 고파요.

나: 그럼 같이 식당에 가는 게 어때요?

활동 1 | 1번 | 82쪽

1) 재민 씨는 김치찌개를 먹을 거예요.

2) 마리 씨는 안 매운 음식이 먹고 싶어서 칼국수를 먹으려고 해요.

활동 1 | 2번 | 82쪽

2) 가: 뭐 주문할 거예요? 정했어요?

나: 네. 저는 스파게티로 정했어요. 민호 씨는요?

가: 저도 스파게티가 괜찮을 것 같아요.

나: 그럼 민호 씨도 스파게티를 주문하는 게 어때요?
　　여기 스파게티가 아주 맛있어요.

3) [예시]

가: 뭐 주문할 거예요? 정했어요?

나: 네. 저는 순두부찌개로 정했어요. 민호 씨는요?

가: 저도 순두부찌개가 맛있을 것 같아요.

나: 그럼 민호 씨도 순두부찌개를 주문하는 게 어때요?
여기 순두부찌개가 아주 맛있어요.

활동 2 | 1번 | 83쪽

1) 이 사람은 요즘 회사 일이 바빠서 직접 요리를 하지 않고 식당에서 밥을 사 먹어요.

2) 이 사람은 이번 주말에 세종학당 친구들과 같이 한국 음식을 먹기로 했어요.

활동 2 | 2번 | 83쪽

[예시]

　저는 한국 음식을 자주 먹습니다. 한국 음식을 먹을 때는 한국 식당에 가서 먹거나 전화로 주문합니다. 제일 좋아하는 한국 음식은 불고기입니다. 불고기는 맵지 않고 맛있습니다.

10 ✎ 그럼 저 까만 구두는 어때요?

어휘와 표현 | 3번 | 87쪽

[예시]

이 핸드폰은 크기가 작고 디자인이 예뻐요. 그리고 가격이 적당해요.

문법 1 | 1번 | 88쪽

1) 까만　　　　2) 빨간　　　　3) 파란

문법 1 | 2번 | 88쪽

[예시]

2) 마리 씨 우산이 파란색이에요.
마리 씨 우산이 파래요.

3) 유진 씨 티셔츠가 노란색이에요.
유진 씨 티셔츠가 노래요.

4) 마리 씨 신발이 까만색이에요.
마리 씨 신발이 까매요.

5) 유진 씨 필통이 하얀색이에요.
유진 씨 필통이 하얘요.

문법 2 | 1번 | 89쪽

1) 싸면 좋겠어요

2) 길면 좋겠어요

3) 단순하면 좋겠어요

문법 2 | 2번 | 89쪽

1) 가까우면 좋겠어요

2) 열면 좋겠어요

3) 들으면 좋겠어요

4) [예시]

가: 지금 커피를 마시고 싶어요?

나: 아니요. 주스를 마시면 좋겠어요.

활동 1 | 1번 | 90쪽

1) 마리 씨는 노란색을 좋아해요.

2) 마리 씨는 정장에 어울리는 신발을 찾아요.

활동 1 | 2번 | 90쪽

2) 가: 이 가게에 좋은 물건이 많죠?

나: 네. 여기에서 새 운동화를 하나 사면 좋겠어요.

가: 어떤 운동화를 사고 싶어요?

나: 가격이 싸고 까만 운동화요.

3) [예시]

가: 이 가게에 좋은 물건이 많죠?

나: 네. 여기에서 새 핸드폰을 하나 사면 좋겠어요.

가: 어떤 핸드폰을 사고 싶어요?

나: 크기가 작고 디자인이 예쁜 핸드폰요.

활동 1 | 3번 | 90쪽

[예시]

지금 사고 싶은 물건은 가방이에요. 가방은 쇼핑몰에서 살 수 있어요. 크기가 크고 빨간색인 가방이 좋아요.

활동 2 | 1번 | 91쪽

1) 지금 공책을 구경하고 있어요.

2) 세종문방구에서 제일 싼 물건을 살 수 있어요.

활동 2 | 2번 | 91쪽

[예시]

1) 자주 사는 물건: 양말

2) 보통 그 물건을 사는 곳: 쇼핑몰

3) 물건을 살 때 확인하는 것
　　① 가격　　　　② 크기　　　　③ 디자인

제가 자주 사는 물건은 양말이에요. 보통 쇼핑몰에서 양말을 사요. 양말을 살 때 가격, 크기, 디자인을 확인해요.

11 🖉 한국을 여행한 적이 있어요?

어휘와 표현 | 2번 | 95쪽

1)   2)   3)   4)

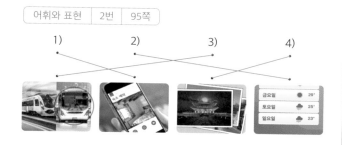

어휘와 표현 | 3번 | 95쪽

[예시]
저는 여행 가는 나라의 전통 음식을 알아봐요. /
저는 여행 가는 나라의 맛집을 예약해요. /
저는 여행 가는 나라의 역사를 찾아봐요.

문법 1 | 1번 | 96쪽

1) 간 적이 있어요
2) 먹은 적이 있어요
3) 산 적이 있어요
4) 들은 적이 있어요

문법 1 | 2번 | 96쪽

[예시]
2) 가: 한국 음식을 만든 적이 있어요?
   나: 아니요. 저는 한국 음식을 만든 적이 없어요.
   가: 무슨 음식을 만들어 보고 싶어요?
   나: 불고기를 만들어 보고 싶어요.
3) 가: 지갑을 잃어버린 적이 있어요?
   나: 네. 저는 지갑을 잃어버린 적이 있어요.
   가: 언제 지갑을 잃어버렸어요?
   나: 작년에 지갑을 잃어버렸어요.

문법 2 | 1번 | 97쪽

1) 2시간 동안   2) 5일 동안
3) 10주 동안   4) 휴가 동안

문법 2 | 2번 | 97쪽

1) 가: 몇 시간 동안 물만 마신 적이 있어요?
   나: 네. 8시간 동안 물만 마신 적이 있어요.
   가: 왜 물만 마셨어요?
   나: 배가 아파서 물만 마셨어요.
2) 가: 며칠 동안 안 잔 적이 있어요?
   나: 네. 2일 동안 안 잔 적이 있어요.
   가: 왜 안 잤어요?
   나: 시험이 있어서 안 잤어요.

3) 가: 몇 시간 동안 컴퓨터 게임만 해 본 적이 있어요?
   나: 아니요. 저는 컴퓨터 게임을 하지 않아요.
4) [예시]
   가: 몇 시간 동안 자전거를 탄 적이 있어요?
   나: 아니요. 저는 자전거를 못 타요.

활동 1 | 1번 | 98쪽

1) 안나 씨는 방학 동안 친구와 한국에 갈 거예요.
2) 주노 씨는 안나 씨에게 엔 서울 타워를 추천했어요.
   경치가 아주 좋아서 추천했어요.

활동 1 | 2번 | 98쪽

2) 가: 주노 씨, 휴가 동안 뭐 할 거예요?
   나: 친구와 태국에 갈 거예요. 마리 씨도 태국을 여행한 적이 있죠?
   가: 네. 2년 전에 태국에 갔다 왔는데 정말 좋았어요. 숙소는 예약
      했어요?
   나: 네. 지금은 교통편과 맛집을 알아보고 있어요.
3) [예시]
   가: 주노 씨, 휴가 동안 뭐 할 거예요?
   나: 친구와 태국에 갈 거예요. 마리 씨도 태국을 여행한 적이 있죠?
   가: 네. 2년 전에 태국에 갔다 왔는데 정말 좋았어요. 날씨는 알아
      봤어요?
   나: 네. 지금은 유명한 여행지와 교통편을 알아보고 있어요.

활동 2 | 1번 | 99쪽

1) 안나 씨는 한국에서 5일 동안 여행을 할 거예요.
   홍대, 동대문시장, 청계천, 명동, 엔 서울 타워, 경복궁, 광화문, 인
   사동, 북촌 한옥마을, 국립중앙박물관에 갈 거예요.
2) [예시]
   부산을 여행하고 싶어요. 히엔 씨가 부산에 간 적이 있어요.

활동 2 | 2번 | 99쪽

[예시]

____부산____ 여행 계획

날짜: 12월 15일~12월 17일

날짜	1일: 부산 도착	2일	3일: 집으로 출발
날씨	☁	☀	☀
여행지	부산역, 자갈치시장	해운대	BIFF 광장
숙소	부산 호텔	부산 호텔	부산 호텔
교통편	기차, 버스	지하철	지하철, 기차

저는 이번 방학 동안 부산으로 여행 가려고 해요.
계획을 이렇게 세웠는데 어때요?
주노: 해운대하고 광안리가 가까워요. 광안리도 가 보세요.

어휘와 표현 | 4번 | 103쪽

[예시]
저는 맛집에 꼭 가요. /
저는 꼭 좋은 호텔에서 자요. /
저는 기념품을 모아요.

문법 1 | 1번 | 104쪽

1) 먹어 봤어요
2) 들어 봤어요
3) 써 봤어요
4) 만들어 봤어요

문법 1 | 2번 | 104쪽

[예시]
1) 가: 혼자 여행을 해 봤어요?
   나: 네. 해 봤어요.
   가: 어디를 혼자 여행해 봤어요?
   나: 한국을 혼자 여행해 봤어요.
2) 가: 번지 점프를 해 봤어요?
   나: 네. 번지 점프를 해 봤어요.
   가: 어디에서 번지 점프를 해 봤어요?
   나: 한국에서 번지 점프를 해 봤어요.
3) 가: 한국 책을 읽어 봤어요?
   나: 아니요. 한국 책을 안 읽어 봤어요.
   가: 읽고 싶은 한국 책이 있어요?
   나: 한국 소설을 읽어 보고 싶어요.
4) [예시]
   가: 한국 음식을 먹어 봤어요?
   나: 아니요. 한국 음식을 안 먹어 봤어요.
   가: 먹어 보고 싶은 한국 음식이 있어요?
   나: 불고기를 먹어 보고 싶어요.

문법 2 | 1번 | 105쪽

1) 본
2) 찍은
3) 들은
4) 만든

문법 2 | 2번 | 105쪽

[예시]
2) 가: 지난 토요일에 누구를 만났어요?
   나: 지난 토요일에 만난 사람은 재민 씨예요.

3) 가: 주말에 무슨 운동을 했어요?
   나: 주말에 한 운동은 테니스예요.
4) 가: 어제 무슨 드라마를 봤어요?
   나: 어제 본 드라마는 한국 드라마예요.
5) 가: 지난주에 무슨 음식을 만들었어요?
   나: 지난주에 만든 음식은 비빔밥이에요.

활동 1 | 1번 | 106쪽

1) 안나 씨는 한국에서 엔 서울 타워에 가 봤어요. 그리고 한국 전통 음식도 먹고 박물관에도 가 봤어요. 박물관에서 도장을 만들어 봤어요.
2) 박물관에서 한국의 역사를 알 수 있어서 좋았어요.

활동 1 | 2번 | 106쪽

2) 가: 유진 씨, 태국 여행은 어땠어요? 쉬기에 좋았죠?
   나: 네. 너무 좋았어요. 특히 짜오프라야강에서 본 야경이 아주 아름다웠어요.
   가: 짜오프라야강도 가고 또 뭘 했어요?
   나: 기념품도 많이 사고 멋있는 카페에도 가 봤어요.
3) 가: 유진 씨, 한국 여행은 어땠어요? 경치가 아름다웠죠?
   나: 네. 너무 좋았어요. 특히 제주도에서 본 바다가 아주 아름다웠어요.
   가: 제주도도 가고 또 뭘 했어요?
   나: 기념품도 많이 사고 멋있는 카페에도 가 봤어요.
4) [예시]
   가: 유진 씨, 중국 여행은 어땠어요? 좋은 여행지가 많았죠?
   나: 네. 너무 좋았어요. 특히 만리장성에서 본 경치가 아주 아름다웠어요.
   가: 만리장성도 가고 또 뭘 했어요?
   나: 기념품도 많이 사고 멋있는 카페에도 가 봤어요.

활동 2 | 1번 | 107쪽

1) 안나 씨는 한국에서 쇼핑도 하고 맛있는 음식도 많이 먹었어요. 그리고 엔 서울 타워에도 갔어요.
2) [예시]
   저는 일본을 여행해 봤어요. 경치가 아름답고 여행지가 깨끗해서 좋았어요.

활동 2 | 2번 | 107쪽

[예시]
저는 일본을 3일 동안 여행해 봤어요. 일본은 경치가 아름답고 여행지가 깨끗해서 좋았어요. 일본에서 도쿄타워를 구경하고 기념품을 샀어요. 예쁜 카페도 많이 있어서 친구하고 커피를 많이 마셨어요. 시간이 있으면 일본에 또 여행 가고 싶어요.

어휘와 표현 색인 2A

자료
출처
2A

※ 이 교재는 산돌폰트 외 Ryu 고운한글돋움OTF, Ryu 고운한글바탕OTF 등을 사용하여 제작되었습니다. Ryu 고운한글돋움OTF, Ryu 고운한글바탕OTF 서체는 서체 디자이너 류양희 님에게서 제공 받았습니다.

※ 강승희, 곽명주, 박가을, 이재영, 정원교 작가와 함께 작업했습니다.

| 게티이미지코리아 |

1과 14쪽_(하, 좌로부터)② 4과 38쪽_(상, 좌로부터)①, (하, 좌로부터)② 5과 51쪽_1번 (좌로부터)두번째 집 11과 95쪽_1번 (상, 좌로부터)①, 2번 1)우 11과 98쪽_1번 상 12과 103쪽_1번 (하, 좌로부터)②, 2번 (상, 좌로부터)③, (하, 좌로부터)②; 107쪽_1번 (좌로부터)③

| 셔터스톡 |

스피커 아이콘
말풍선
연필 아이콘

1과 13쪽; 14쪽_상, (하, 좌로부터)①; 15쪽; 16쪽_상좌, 1번, 2번; 17쪽_상, 1번 1)/2)/3)/4), 2번; 18쪽_1번; 19쪽_1번 우하; 20쪽 2과 22쪽_상; 23쪽_1번, 2번 (보기)좌, 3번; 24쪽_상, 2번; 25쪽; 26쪽; 27쪽; 28쪽 3과 29쪽; 30쪽; 31쪽_1번; 32쪽; 33쪽; 34쪽; 35쪽; 36쪽 4과 37쪽; 38쪽_(상, 좌로부터)②, (하, 좌로부터)①; 39쪽; 40쪽_2번; 41쪽_2번; 42쪽; 43쪽; 44쪽 5과 45쪽; 46쪽; 47쪽_1번, 2번, 3번 (보기)우; 48쪽_2번; 50쪽; 51쪽; 52쪽 6과 54쪽; 55쪽; 56쪽_상, 1번 (보기), 2번; 57쪽_2번; 58쪽; 59쪽; 60쪽 7과 61쪽; 62쪽; 63쪽; 64쪽_2번; 65쪽; 68쪽 8과 70쪽; 71쪽; 72쪽_상, 2번 (보기); 73쪽; 74쪽; 75쪽; 76쪽 9과 77쪽; 78쪽; 79쪽_1번, 3번; 80쪽_1번, 2번, 3번; 81쪽_상좌, 1번; 82쪽; 83쪽; 84쪽 10과 86쪽; 87쪽; 88쪽; 89쪽_1번, 2번; 90쪽; 91쪽; 92쪽 11과 93쪽; 94쪽; 95쪽_1번 (상, 좌로부터)②/③/④, 중, 하, 2번 1)좌/2)/3)/4); 96쪽_2번; 97쪽_상우, 2번; 99쪽; 100쪽 12과 102쪽; 103쪽_1번 상, (하, 좌로부터)①, 2번 (상, 좌로부터)①/②, (하, 좌로부터)①; 104쪽_상우, 2번; 105쪽_2번; 107쪽_1번 (좌로부터)①/②; 108쪽 부록 109쪽

| 기타 |

1과 17쪽, 19쪽_미국 거점 세종학당 교실 사진 (세종학당재단 제공)
2과 22쪽_'성별 및 연령집단별 평일과 휴일 여가시간' (문화체육관광부, 〈국민여가활동조사보고서〉)
5과 46쪽_'2020년도 주거실태조사 주요결과 분석' (국토교통부, 〈2020년도 주거실태조사 일반가구 연구보고서〉)
11과 94쪽_'한국 방문 선택 시 고려 요인' (한국관광공사, 〈결과보고서_2019_외래관광객조사_210223〉)

세종한국어 2A

기획	국립국어원	박미영 학예연구사
	국립국어원	조 은 학예연구사
집필	책임 집필	이정희 경희대학교 국제교육원 교수
	공동 집필	이수미 성균관대학교 학부대학 대우교수
		한윤정 경희대학교 K-컬처·스토리콘텐츠연구소 연구교수
		신범숙 서울대학교 언어교육원 대우전임강사
		민유미 서울대학교 언어교육원 대우전임강사
		윤세윤 경희대학교 국제교육원 객원교수
	집필 보조	김연희 경희대학교 국어국문학과 박사수료
		홍세화 경희대학교 국어국문학과 박사과정
		정성호 경희대학교 국어국문학과 박사수료
		서유리 경희대학교 국어국문학과 박사과정

발행 국립국어원
주소: (07511) 서울특별시 강서구 금낭화로 154
전화: +82(0)2-2669-9775
전송: +82(0)2-2669-9727
누리집: www.korean.go.kr

초판 1쇄 발행   2022년 9월 1일
초판 6쇄 발행   2024년 10월 1일

편집·제작 공앤박 주식회사
주소: (05116) 서울특별시 광진구 광나루로56길 85, 프라임센터 3411호
전화: +82(0)2-565-1531
전송: +82(0)2-6499-1801
누리집: www.kongnpark.com / www.BooksOnKorea.com (구매)

총괄	공경용
편집	이유진, 김세훈, 이진덕, 여인영, 김령희, 성수정, 최은정, 함소연
영문 편집	Sung A. Jung, Paulina Zolta, Kassandra Lefrancois-Brossard
디자인	오진경, 서은아, 이종우, 이승희
삽화	강승희, 곽명주, 박가을, 이재영, 정원교
관리·제작	공일석, 최진호
IT 자료	손대철
마케팅	윤성호

ISBN 978-89-97134-24-3 (14710)
ISBN 978-89-97134-21-2 (세트)